ESTÓRIAS DE QUEM GOSTA DE ENSINAR

– O FIM DOS VESTIBULARES –

RUBEM ALVES

ESTÓRIAS DE QUEM GOSTA DE ENSINAR

– O FIM DOS VESTIBULARES –

PAPIRUS EDITORA

Capa | Fernando Cornacchia
Foto de capa | Rennato Testa
Revisão | Lúcia Helena Lahoz Morelli e Thiago Villela Basile

Dados Internacionais de Catalogação na Publicação (CIP)
(Câmara Brasileira do Livro, SP, Brasil)

Alves, Rubem
Estórias de quem gosta de ensinar: O fim dos vestibulares/Rubem Alves – 13ª ed. – Campinas, SP: Papirus, 2013.

ISBN 978-85-308-0588-3

1. Crônicas brasileiras 2. Educação 3. Ensino 4. Pedagogia 5. Vestibulares I. Título.

13-03499 CDD-869.93

Índices para catálogo sistemático:

1. Crônicas: Literatura brasileira 869.93

13ª Edição – 2013
6ª Reimpressão – 2023
Livro impresso sob demanda – 100 exemplares

Exceto no caso de citações, a grafia deste livro está atualizada segundo o Acordo Ortográfico da Língua Portuguesa adotado no Brasil a partir de 2009.

R. Barata Ribeiro, 79, sala 316 – CEP 13023-030 – Vila Itapura
Fone: (19) 3790-1300 – Campinas – São Paulo – Brasil
E-mail: editora@papirus.com.br – www.papirus.com.br

SUMÁRIO

3. FÁBULAS

4. O SABER E O VIVER

5. AS ESCOLAS

1
ADEUS, VESTIBULARES!

Ao começar meus estudos,
me agradou tanto o passo inicial,
a simples conscientização dos fatos,
as formas, o poder de movimento,
o mais pequeno inseto ou animal,
os sentidos, o dom de ver, o amor
– o passo inicial, torno a dizer,
me assustou tanto,
e me agradou tanto,
que não foi fácil, para mim, passar
e não foi fácil seguir adiante,
pois eu teria querido ficar ali
flanando o tempo todo,
cantando aquilo
em cânticos extasiados.

Walt Whitman

O país dos dedos gordos

Vivia num país distante e céu cor de anil, um povo pobre e feliz, que na sua pobreza tinha tempo e gosto para cantar, brincar, fazer versos e experimentar com aquelas artes e aquelas ciências que faziam alegre o seu coração. Felizes também eram o rei e a rainha, amigos de todos e que esperavam, para completar sua felicidade, o nascimento de uma criança. Nasceu uma menina linda, mansa e fofa. Ah! Ela seria a mais bela, a mais feliz, a mais amada. E, para que nada lhe acontecesse, convidaram como madrinhas e padrinhos do batizado todas as fadas e todos os magos do reino, que com seus encantamentos haveriam de envolver a criancinha com um círculo mágico protetor. Ignoraram, é claro, a bruxa malvada que vivia na floresta negra.

Quando ela soube, pela leitura das colunas sociais, que havia sido desprezada, teve um acesso de cólera e jurou vingança. Mandou ao palácio seus corvos espiões: que verificassem se havia algum ponto vulnerável nos encantamentos que protegiam a princesinha. Voltaram desapontados: "O corpo da princesa está fechado. Nada de sério lhe pode ser feito. Só existe um lugarzinho. Esqueceram-se do dedo 'seu-vizinho', da mão esquerda...".

A bruxa deu uma gargalhada: "Mais que suficiente. Jogarei uma praga que fará com que o rei e a rainha se arrependam pelo resto de suas vidas. Aquele dedinho vai engrossar, engrossar, engrossar. E não haverá remédio que cure...".

E assim foi. E a malvada ainda mandou dizer, por mensagem no bico de seus corvos-correio. O rei e a rainha foram tomados de grande aflição. Chamaram fadas e magos. Inutilmente. Bruxedo não se desfaz. Vieram médicos, cirurgiões plásticos, invocaram a homeopatia, fizeram compressas de confrei, apelaram para o poder das pirâmides e a meditação transcendental. Em vão. Pobre princesinha. Seu dedinho virou dedão, grotesco e vermelhão. Não podia usar aquelas lindas luvas brancas. E nem os anéis reais. Também não podia tocar piano, violino ou violão. O dedão esbarrava e a nota desafinava. Chorava a pobre princesinha, inconsolável pelo "seu-vizinho"... quem quereria se casar com uma jovem de dedo grosso?

O rei, desesperado, chamou seus sábios e pediu conselho. Foi então que um deles fez sensata ponderação: "Alteza, se não é possível fazer com que o dedo da princesinha fique igual aos dedos dos outros, é possível fazer que os dedos dos outros fiquem iguais ao dedo da princesinha. Ao final, o resultado será o mesmo. Ninguém terá vergonha".

O rei ficou encantado. E logo chamou os técnicos que foram encarregados de viabilizar a solução. O que se decidiu foi o seguinte: o rei promoverá, anualmente, um baile para o qual todos os jovens do reino estão convidados. Infelizmente, nem todos poderão ser admitidos porque só há lugar para mil pares no salão de festas. Muitos serão os chamados, poucos os escolhidos. Mas estes serão regiamente recompensados: empregos públicos vitalícios. E um, dentre estes, será escolhido pela princesa, como marido, futuro rei. O critério para a admissão? Os mil que, dentre todos, tiverem os mais grossos "seu-vizinho" da mão esquerda. Para que haja justiça, sem fraude, serão colocados orifícios eletrônicos no vestíbulo do palácio. Os moços enfiarão seus dedos, o computador dirá quantos pontos fizeram, se passaram ou não.

E assim se fez. Os arautos anunciaram a boa-nova. De repente o reino mudou. Todos compreenderam que o futuro passava pelos exames vestibulares e que só havia uma única coisa que importava: a grossura do "seu-vizinho" da mão esquerda. Cessou a antiga alegria inconsequente e descontraída. Os pais deixaram de prestar atenção nos risos para prestar atenção no dedo. E se gabavam: "Menino de futuro promissor; veja só o seu dedo, tão jovem e tão grosso...". As escolas passaram por revoluções. Os estabelecimentos antiquados, preocupados com sorrisos, viram-se repentinamente sem alunos.

"Alegria não engrossa dedo", diziam os pais, categóricos, ao pagar sua última prestação. E as que progrediam eram aquelas que desde cedo introduziram as crianças na filosofia do dedo grosso. Música, literatura, brinquedos, as artes e ciências que davam prazer foram todas aposentadas. O que importava era passar no vestibular e, no vestibular, só contava a grossura do dedo.

E foi assim que se criou uma nova filosofia da educação, e coisas novas, cursinhos que viam tudo pelo ângulo e segundo o objetivo de engrossar os dedos. Os preços eram exorbitantes. Os pais trabalhavam horas extras, as viúvas lavavam mais roupas: "Pai não mede sacrifício para o bem do seu filho...". E de noite rezavam: "Oh, Deus, ajuda o meu filho para que ele tenha disciplina e se aplique para que o seu dedo engrosse...".

Mas, ano vai, ano vem, a mesma coisa acontecia. Só mil entravam. Os que ficavam de fora se punham a olhar para seus dedos grossos. Aquele era o resultado de anos de disciplina e privações. Será que adiantou? E pensavam nas coisas perdidas, nunca mais. Dedo grosso, inútil, gordo de abstenções e sacrifícios. As coisas que davam prazer haviam sido abandonadas e, agora, estavam sem o baile e sem o prazer. A suspeita era de que haviam sido vítimas de uma grande burla... A cada ano que passava, aumentava o número de jovens tristes. Nunca entrariam no baile. E o pior: estavam aleijados. O mundo havia-se transformado num gigantesco dedo grosso. Era como se um pedaço da vida lhes tivesse sido roubado, irremediavelmente. O passado não se recupera. Por todo o país, a nuvem de tristeza. Os técnicos sugeriam que, talvez, com técnicas mais eficientes, a qualidade do ensino poderia ser melhorada. Dedos mais grossos, talvez... O único problema é que o tamanho do salão de bailes continuava o mesmo.

Lá dentro, a situação não era melhor. A princesinha não se decidia sobre o seu eleito: "Pai, eles são tão chatos. Só sabem falar sobre dedos grossos. Preferiria um moço de dedo fino mas que fosse alegre e pudesse me alegrar...".

O rei compreendeu, repentinamente, o tamanho de sua estupidez. Às vezes, o amor é cego e burro. Mandou seus arautos, de novo, país afora, dizendo que dali para frente ninguém mais seria julgado pela grossura do dedo. O que importaria seria a alegria de viver. E, então, como que por encanto, o país acordou do seu feitiço. Ninguém mais procurava os cursinhos engrossa-dedo, que tiveram de fechar suas portas. Os pais mudaram suas orações, pediam a Deus que fizesse alegres os seus filhos, pararam de fiscalizar os seus dedos "seu-vizinho", e iam às escolas para saber das coisas belas e gostosas que ali se faziam. Os poemas voltaram a ser lidos, os moços brincavam com suas flautas e seus violões sem dores de consciência, e das ciências e artes eles se dedicavam àquelas que lhes davam prazer.

O salão de festas continuou do mesmo tamanho. Mas sua sombra sinistra já não mais enfeitiçava os anos da juventude. Mesmo os que ficavam de fora continuavam a sorrir, porque sabiam que tinha valido a pena. O mundo ficara mais belo. O tempo não tinha sido perdido. O passado não tinha sido inútil. E o rei, olhando para a princesinha, feliz, cantarolava que o que importa é que cada um "da alegria seja um aprendiz".

E os moços tomavam seus instrumentos e dedilhavam as cordas. E não havia dedos gordos que atrapalhassem.

Vestíbulo coisa nenhuma!

Os exames vestibulares são uma das maiores, possivelmente a maior praga que infesta a educação brasileira. O seu nome, derivado de "vestíbulo", que quer dizer "átrio, entrada de um edifício", sugere que eles são apenas uma inocente e estreita porta de entrada para as universidades. De fato, para isso foram criados. Mas frequentemente acontece com as instituições sociais o mesmo que ocorre com os medicamentos: os efeitos colaterais não previstos são mais importantes que os efeitos desejados. Pode ser que a cura seja pior que a doença.

É o caso dos vestibulares. Anunciados como inocentes portas de entrada, o seu efeito maior, entretanto, tem sido o seu poder de moldar e determinar os padrões de educação nas escolas de ensino médio e até mesmo de ensino fundamental. Cúmplices nesse processo são os pais. Ansiosos por ver seus filhos nas universidades, por imaginarem que um diploma vai lhes garantir segurança econômica, exercem pressões sobre as escolas no sentido de que elas se transformem em instituições dedicadas a "preparar para os vestibulares". Boa escola é aquela que segue os modelos dos cursinhos. Aquelas que não se ajustam estão condenadas à marginalização: instituições inúteis, não preparam para os vestibulares.

Os professores que preparam as questões para os exames vestibulares, cada um mergulhado nas particularidades da sua própria disciplina, nem de longe imaginam que, ao elaborar uma questão, estão determinando os rumos da educação no Brasil. Não sabem que no simples ato de imaginar um problema eles estão determinando padrões de inteligência e padrões de conhecimento para todos os jovens do Brasil. O *padrão de conhecimento* refere-se à soma de informações julgadas necessárias e indispensáveis para se passar nos exames. O tipo de inteligência refere-se às operações mentais julgadas essenciais para o mesmo fim.

Ora, esses dois elementos, padrões de conhecimento e padrões de inteligência, constituem-se num resumo de toda uma filosofia da educação. Os exames vestibulares, assim, involuntariamente, estabelecem o modelo de excelência educacional a ser seguido pelas escolas.

Quanto à inteligência, é preciso saber que não há uma, mas muitas. Como na estória da Bela Adormecida, muitas delas se encontram mergulhadas em sono profundo, à espera de que um beijo de amor as acorde... Outras, segundo denúncia de Hermann Hesse, são simplesmente assassinadas. Os exames vestibulares encontram-se entre os feiticeiros que fazem dormir muitos tipos de inteligência e entre os assassinos que matam muitas outras. São, assim, culpados de bruxaria e assassinato...

Uma professora da Unicamp me contou que os alunos que mais dificuldade tinham em seguir a sua disciplina eram aqueles que haviam passado nos primeiros lugares nos exames vestibulares. Havendo desenvolvido com sucesso o tipo de inteligência necessária para passar nos vestibulares, que pressupõe haver sempre uma alternativa correta, entre as várias apresentadas, a sua inteligência não conseguia conviver com uma situação de incertezas, em que cada decisão é sempre uma aposta. Os alunos perguntavam sempre: "Mas, professora, qual é a resposta certa *mesmo*?".

Assim é a inteligência vestibularesca, em direta oposição à inteligência científica que, como K. Popper e Thomas

Kuhn o demonstraram, só germina, cresce e dá frutos em meio às incertezas e apostas.

No caso das disciplinas incluídas na área de humanidades o resultado da inteligência vestibularesca é igualmente assassino. Paul Goodman afirmava não conhecer nenhum *método* para ensinar as humanidades que não as matasse. O prazer, na leitura de um livro, faz parte da própria essência do livro. Daí a impossibilidade de se ensinar as humanidades para passar no exame. O ensino das "ciências da linguagem" não desenvolve nem o prazer na leitura nem o prazer em escrever. O miserável artifício de estudar os "resumos" dos livros, com os nomes das personagens e o esboço da trama, é uma forma segura de matar o amor pelo ato vagaroso e preguiçoso de ler. De alguma forma essas disciplinas só são aprendidas se não houver uma guilhotina ao final do caminho. É como o amor: a ameaça da punição, se a *performance* for insuficiente, é a garantia de que ela será...

Há, depois, o absurdo da *quantidade* e do tipo dos conteúdos de informação que os estudantes devem trazer para os exames. Pede-se, dos estudantes, que eles saibam mais, em amplitude, do que sabem cientistas já formados. Gostaria que os professores universitários se submetessem, voluntariamente, aos exames vestibulares. Os resultados seriam muito instrutivos. Como é altamente provável que um grande número não passasse, eu inclusive, a conclusão inevitável seria a de que existe algo de absurdo nas exigências de conhecimento dos exames vestibulares.

A mente só guarda e opera conhecimentos de dois tipos: (1) os conhecimentos que dão prazer e (2) os conhecimentos instrumentais, que podem ser usados como ferramentas. Como uma altíssima porcentagem do que se exige para os exames vestibulares não é nem conhecimento que dê prazer nem conhecimento que se use como instrumento, esse supérfluo é logo esquecido. O esquecimento é uma operação da inteligência que se recusa a carregar o inútil e o que não dá prazer. A inteligência deseja viajar com leveza... Assim, todo o enorme gasto de tempo, dinheiro, energia, todo esse imenso sofrimento de filhos e pais, está destinado a terminar como os castelos de areia construídos na praia: é logo lavado pela maré do esquecimento.

A maratona safada

Frequentemente o diagnóstico da doença é mais fácil que a cura. É o caso dos vestibulares. Lembra-me o Titanic: o número de passageiros era maior que o número de botes salva-vidas. O naufrágio inevitável exigiu que se estabelecesse um critério cruel para separar os que seriam salvos dos que teriam de morrer. Assim é a situação do ensino universitário: as vagas são em número menor que os candidatos. Alguns serão impedidos de entrar.

Os vestibulares da Unicamp, criados na gestão Pinotti e implementados na gestão do atual ministro da Educação, Paulo Renato Souza, foram uma tentativa de modificar os *padrões de inteligência* e de *tipo de conhecimento,* sedimentados pelos vestibulares anteriores, e que tanto mal estavam fazendo à educação de ensinos médio e fundamental: modificar os vestibulares para transformar a educação.

"Que tipo de inteligência é aquele que deve ser cultivado nas escolas?" – essa foi a primeira pergunta que se fez. E a resposta: "Não queremos alunos que saibam de cor os mapas e os seus caminhos já conhecidos. Para isso basta ter boa memória. Queremos alunos que, sabendo a 'linguagem' dos mapas, sejam capazes de encontrar os caminhos em mapas que nunca viram".

Esta é a razão da importância atribuída à redação. O objetivo principal da redação não era e não é testar o conhecimento da mecânica da língua. Sua função principal é revelar as formas de pensamento do aluno, pois é através da linguagem que os processos mentais, as várias inteligências, revelam-se.

Com isso a Unicamp enviou às escolas de ensino médio e fundamental a seguinte mensagem: procuramos um outro tipo de inteligência. E, assim, esperava-se que o novo vestibular contribuísse para a renovação do ensino.

Os vestibulares foram bem-sucedidos naquilo que se propuseram. Mas era sabido que não resolveriam a parte mais dolorosa do problema: a sistemática exclusão dos candidatos das classes mais pobres. Os pobres continuariam a olhar para a educação universitária de longe. Continuariam a se afogar no navio que naufragava, enquanto os outros poderiam embarcar nos botes universitários...

Imaginem um país miseravelmente pobre, assolado pela fome. Os países ricos, penalizados, resolvem enviar um avião carregado de alimentos para serem distribuídos. Mas as bocas são muitas e a comida é pouca. Se houver uma simples divisão da comida pelo número de bocas, a cada um caberá não mais que uma pitada de alimento. E todos morrerão de fome. Surge a dolorosa necessidade: é preciso escolher os poucos que irão comer. Mas que critérios usar para escolher os que vão receber comida? É então que um conselheiro do governo apresenta a seguinte sugestão: uma corrida, dez quilômetros. Os primeiros mil a chegar serão aqueles que comerão. Trata-se de um teste objetivo, aberto à fiscalização pública, sem possibilidades de trapaça.

É verdade. Mas a injustiça foi feita no momento em que se definiram as regras da seleção. Os mais fracos foram, de antemão, condenados a morrer.

Essa é a situação dos vestibulares: os pobres estão, de antemão, condenados a ser excluídos.

Os vestibulares da Unicamp alteraram os *padrões de inteligência* e os *tipos de conhecimento* exigidos. Mas não são capazes de reverter os padrões de exclusão.

Eu ficaria de fora...

Por considerar os vestibulares um dos grandes inimigos do ensino e da educação, recebo com alegria a informação de que o governo se prepara para erradicar esta prática nociva.

As notícias indicam que se pretende adotar no Brasil um mecanismo semelhante àquele adotado nos Estados Unidos, onde o ingresso às universidades é regulado pelo histórico escolar dos alunos. Vai-se a minha alegria inicial. Sinto calafrios de terror. Pois é minha convicção que a solução norte-americana seria muito pior que os vestibulares atuais. Seria o caso da cura sendo mais mortífera que a doença.

A adoção de tal solução traria um benefício imediato: o fim dos cursinhos. Mas esse lucro não compensa os efeitos colaterais do remédio.

Em primeiro lugar seria mantido o "efeito guilhotina" dos vestibulares atuais. Chamo de "efeito guilhotina" o clima de terror psicológico que, por efeito dos vestibulares, contagia a vida escolar dos jovens, ficando cada vez mais forte na medida em que os vestibulares se aproximam. Com a solução norte-americana o "efeito guilhotina" seria simplesmente distribuído ao longo de toda a vida escolar. A cada momento o aluno saberia que há uma espada sobre a sua cabeça. As tensões, ligadas às pressões pelo desempenho escolar, no Japão, têm produzido um assustador número de suicídios de adolescentes e até mesmo de crianças. De um ponto de vista psicológico, uma intensa ansiedade, concentrada, como no caso dos vestibulares, é preferível a uma ansiedade constante, como na solução norte-americana. O que penso dos jovens e da educação não me permite aceitar que a escola seja uma experiência de dor.

Em segundo lugar, a aplicação simples desse mecanismo em nada alteraria os padrões de educação que os vestibulares sedimentaram. O ruim continuará a ser ruim. É altamente provável que as escolas, moldadas pelos anos de submissão aos padrões de vestibulares, tendam simplesmente a perpetuar os mesmos padrões, de forma cada vez mais refinada.

Em terceiro lugar, é preciso notar que esse mecanismo, nos Estados Unidos, é altamente elitizante. Formou-se um conjunto de escolas de elite (vejam-se os filmes *Sociedade dos poetas mortos* e *Perfume de mulher*), caminho obrigatório para aqueles que pretendem cursar as universidades mais famosas. Evidentemente os colégios de elite custam uma fortuna, e os norte-americanos de classe média começam a poupar dinheiro desde que os filhos nascem para fazer face às despesas impossíveis com a educação universitária.

A mesma coisa aconteceria no Brasil. Um histórico escolar, vindo de um colégio de elite, teria necessariamente maior credibilidade, quando comparado a um histórico igual, emitido por um colégio sem nome, do interior. Não é fácil mas não é impossível que uma família pobre, fazendo um esforço gigantesco por um ano, crie as condições para que um filho seu faça o cursinho e passe no vestibular. Mas a mesma família não poderia fazer o mesmo sacrifício através dos muitos anos que o estudo em colégios de elite exige. O sistema americano é mais elitizante que o atual sistema de vestibulares.

Finalmente, num sistema acostumado à corrupção, como impedir o surgimento da "corrupção dos históricos escolares"? Sei de professores que tiveram de alterar notas de alunos para atender a pressões vindas de cima. Quanto a isso, os atuais vestibulares são melhores. Mesmo com suas deficiências e deformações, eles não se prestam a esse tipo de corrupção.

E há uma razão pessoal: se esse sistema tivesse sido implantado no Brasil eu teria sido uma pessoa com dificuldades para ingressar numa universidade. Meu histórico escolar de ginásio e científico é medíocre. Na minha adolescência os meus interesses caminhavam numa direção oposta à dos currículos escolares. E, para dizer a verdade, com pouquíssimas exceções, meus professores não mereciam que neles se prestasse atenção.

Desejo o fim dessa prática burra e injusta. Mas a solução norte-americana é pior que a doença. Deve haver um remédio que cure sem matar.

O sorteio

Aqueles que trabalhavam na elaboração do vestibular da Unicamp sabiam que o problema da exclusão dos alunos, filhos de famílias pobres, não seria resolvido por ele. O novo vestibular modificaria o perfil dos alunos, mas não tinha mecanismos para modificar a sua classe de origem.

Foi então que uma nova ideia começou a tomar corpo. Era uma ideia à primeira vista absurda. Tão absurda que bastava mencioná-la para provocar risos: quem a ouvia pensava que se tratava de uma brincadeira. Mas o sentimento do absurdo é, frequentemente, apenas uma reação diante do novo, do não familiar, daquilo que transgride o costume, que violenta as formas automatizadas de agir e pensar. Quando Galileu disse que a Terra girava em torno do Sol, quando Darwin afirmou a evolução das espécies, quando Freud fundou a psicanálise, as reações foram de incredulidade e absurdo. Digo isso como um antídoto antecipado ao susto: a ideia que tomou forma foi a de um *sorteio*.

Passado o espanto inicial, o que chamou a nossa atenção foi que esse mecanismo, que parecia ser apenas um processo lotérico de escolha, tinha consequências radicais, tanto do ponto de vista social quanto do ponto de vista educacional.

A primeira consequência, do ponto de vista social, é que, por meio do sorteio, todos os jovens que tivessem concluído o ensino médio e que fossem pobres teriam, pela primeira vez, chances iguais de acesso ao ensino universitário.

A segunda consequência seria o desaparecimento dos cursinhos, pois a entrada na universidade não mais dependeria de um saber privilegiado só oferecido a uma pequena elite econômica.

A terceira consequência, agora do ponto de vista educacional e pedagógico, é que os ensinos fundamental e médio ficariam livres do terror. Não mais estaria ligado à guilhotina dos vestibulares. Ele deixaria de ser um "meio" para preparar os alunos para o "fim" dos vestibulares. O ensino se transformaria num fim em si mesmo: saber pela alegria de saber.

Na ausência dos vestibulares, não haveria mais sentido em haver escolas organizadas para "preparar os alunos para os vestibulares". O ensino se desligaria do medo. No tempo dos nossos avós era o medo da palmatória. Agora, o medo dos vestibulares. Mudaram-se as técnicas de intimidação; preservaram-se a mesma psicologia e a mesma pedagogia. As escolas seriam obrigadas a repensar a sua pedagogia e a sua filosofia de educação: teriam de encontrar formas de ensinar em função do valor intrínseco das disciplinas, já que não poderiam mais acenar com a ameaça dos vestibulares. Usando-se uma figura culinária: "Você tem de comer, meu filho, para ficar forte quando crescer" por oposição a "Coma porque está gostoso! Você vai sentir prazer!". O aprendizado "a fim de" passar nos vestibulares – aprendizado que é logo esquecido, passados os exames – seria substituído pelo aprendizado em função do prazer e da utilidade. E assim se iniciaria o cultivo do tipo de inteligência essencial ao desenvolvimento da Ciência: só é bom cientista aquele que pensa como quem brinca.

A quarta consequência, de ordem social-educacional, seria a seguinte: os pais das classes abastadas, vendo que a loteria é cega, e que os seus filhos não são sorteados, liberados que estão de todas as despesas que tinham anteriormente com os cursinhos, passariam a dispor dos recursos que antes eram queimados na construção dos castelos de areia. Com essa disponibilidade financeira eles teriam condições de criar e sustentar excelentes universidades particulares, como acontece nos Estados Unidos. Os cursinhos poderiam, inclusive, constituir-se no germe das novas universidades. Seriam ampliados, assim, o número de vagas nas universidades, sem que o governo tivesse necessidade de fazer qualquer investimento.

Estou consciente da objeção suspensa no ar: sem o terror dos vestibulares, as escolas de ensinos fudamental e médio se deteriorariam. O ensino seria apenas "pró-forma", já que o aprendido nas referidas escolas se tornou irrelevante para o ingresso nas universidades.

Mas esse é um perigo facilmente evitado. O término do ensino médio seria marcado por um exame nacional, preparado e aplicado pelo Ministério da Educação. O objetivo desse exame seria verificar se os alunos haviam atingido o nível mínimo de aprendizagem estabelecido. Não seria classificatório. Haveria dois conceitos apenas: "aprovado" ou "reprovado". Todos os assim aprovados teriam atingido o patamar de conhecimento julgado suficiente ao término do ensino médio. Teriam cumprido, assim, os requisitos necessários para o ingresso na universidade. O sorteio seria apenas um artifício provisório para resolver o impasse de ser o número de candidatos maior que o número de vagas.

Esse exame seria, ao mesmo tempo, nas mãos do Ministério da Educação, o instrumento de que ele não dispõe agora para avaliar o desempenho das escolas.

Sorteio – parece coisa absurda! A tentação é jogar a sugestão no lixo, sem antes pensá-la. Mas eu não teria coragem de assumir o risco de apresentá-la se não estivesse convencido de ser ela a melhor alternativa que conheço, no momento.

"Muito cedo para decidir"

Gandhi se casou menino. Foi casado menino. O contrato, foram os grandes que assinaram. Os dois nem sabiam direito o que estava acontecendo, ainda não haviam completado dez anos de idade, estavam interessados em brincar. Ninguém era culpado: todo mundo estava sendo levado de roldão pelas engrenagens dessa máquina chamada sociedade, que tudo ignora sobre a felicidade e vai moendo as pessoas nos seus dentes. Os dois passaram o resto da vida se arrastando, pesos enormes, cada um fazendo a infelicidade do outro.

Vocês dirão que felizmente esse costume nunca existiu entre nós: obrigar crianças que nada sabem a entrar por caminhos nos quais terão de andar pelo resto da vida é coisa muito cruel e... burra! Além disso já existe entre nós remédio para casamento que não dá certo. Antigamente, quando se queria dizer que uma decisão não era grave e podia ser desfeita, dizia-se: "isso não é casamento!". Naquele tempo, sim, casamento era decisão irremediável, para sempre, até que a morte os separasse, eterna comunhão de bens e comunhão de males. Mas agora os casamentos fazem-se e desfazem-se até mesmo contra a vontade do Papa, e os dois ficam livres para começar tudo de novo...

Pois dentro de poucos dias vai acontecer com nossos adolescentes coisa igual ou pior do que aconteceu com o Gandhi e a mulher dele, e ninguém se horroriza, ninguém grita, os pais até ajudam, concordam, empurram, fazem pressão, o filho não quer tomar a decisão, refuga, está com medo. "Tomar uma decisão para o resto da minha vida, meu pai! Não posso agora!", e o pai e a mãe perdem o sono, pensando que há algo errado com o menino ou a menina, e invocam o auxílio de psicólogos para ajudar...

Está chegando para muitos o momento terrível do vestibular, quando vão ser obrigados por uma máquina, do mesmo jeito como o foram Gandhi e Casturbai (era esse o nome da menina), a escrever num espaço em branco o nome da profissão que vão ter.

Do mesmo jeito, não: a situação é muito mais grave. Porque casar e descasar são coisas que se resolvem rápido. Às vezes, antes de se descasar de uma ou de um, a pessoa já está com uma outra ou um outro. Mas com a profissão não tem jeito de fazer assim.

Para casar, basta amar.

Mas na profissão, além de amar tem de saber. E o saber leva tempo para crescer.

A dor que os adolescentes enfrentam agora é que, na verdade, eles não têm condições de saber o que é que eles amam. Mas a máquina os obriga a tomar uma decisão para o resto da vida, mesmo sem saber.

Saber que a gente gosta disso e gosta daquilo é fácil. O difícil é saber qual, dentre todas, é aquela de que a gente gosta supremamente. Pois, por causa dela, todas as outras terão de ser abandonadas. A isso que se dá o nome de "vocação"; que vem do latim, *vocare,* que quer dizer "chamar". É um chamado, que vem de dentro da gente, o sentimento de que existe alguma coisa bela, bonita e verdadeira à qual a gente deseja entregar a vida.

Entregar-se a uma profissão é igual a entrar para uma ordem religiosa. Os religiosos, por amor a Deus, fazem votos de castidade, pobreza e obediência. Pois, no momento em que você escrever a palavra fatídica no espaço em branco, você estará fazendo também os seus votos de dedicação total à sua ordem. Cada profissão é uma ordem religiosa, com seus papas, bispos, catecismos, pecados e inquisições.

Se você disser que a decisão não é tão séria assim, que o que está em jogo é só o aprendizado de um ofício para se ganhar a vida e, possivelmente, ficar rico, eu posso até dizer: "Tudo bem! Só que fico com dó de você! Pois não existe coisa mais chata que trabalhar só para ganhar dinheiro".

É o mesmo que dizer que, no casamento, amar não importa. Que o que importa é se o marido – ou a mulher – é rico. Imagine-se agora nesta situação: você é casado ou casada, não gosta do marido ou da mulher, mas é obrigado a, diariamente, fazer carinho, agradar e fazer amor. Pode existir coisa mais terrível que isso? Pois é a isso que está obrigada uma pessoa casada com uma profissão sem gostar dela. A situação é mais terrível que no casamento, pois no casamento sempre existe o recurso de umas infidelidades marginais. Mas o profissional, pobrezinho, gozará do seu direito de infidelidade com que outra profissão?

Não fique muito feliz se o seu filho já tem ideias claras sobre o assunto. Isso não é sinal de superioridade. Significa, apenas, que na mesa dele há um prato só. Se ele só tem nabos cozidos para comer, é claro que a decisão já está feita: comerá nabos cozidos e engordará com eles. A dor e a indecisão vêm quando há muitos pratos sobre a mesa e só se pode escolher um.

Um conselho aos pais e aos adolescentes: não levem muito a sério esse ato de colocar a profissão naquele lugar terrível. Aceitem que é muito cedo para uma decisão tão grave. Considerem que é possível que vocês, daqui a um ou dois anos, mudem de ideia. Eu mudei de ideia várias vezes, o que me fez muito bem. Se for necessário, comecem de novo. Não há pressa. Que diferença faz receber o diploma um ano antes ou um ano depois?

Em tudo isso o que causa a maior ansiedade não é nada sério: é aquela sensação boba que domina pais e filhos de que a vida é uma corrida e que é preciso sair correndo na frente para ganhar. Dá uma aflição danada ver os outros começando a corrida, enquanto a gente fica para trás.

Mas a vida não é uma corrida em linha reta. Quando se começa a correr na direção errada, quanto mais rápido for o corredor, mais longe ele ficará do ponto de chegada. Lembrem-se daquele maravilhoso aforismo de T.S. Eliot: "Num país de fugitivos os que andam na direção contrária parecem estar fugindo".

Assim, não se aflija. A vida é uma ciranda com muitos começos.

Coloque lá a profissão que você julgar a mais de acordo com o seu coração, sabendo que nada é definitivo. Nem o casamento. Nem a profissão. Nem a própria vida...

Viagem longa, destino incerto...

Este é o mês em que sofro mais por causa de vocês, moços. Tenho dó. Ainda nem deixaram de ser adolescentes, e já são obrigados a comprar passagens para um destino desconhecido, passagens só de ida, as de volta são difíceis, raras, há uma longa lista de espera. Alguns me contestam: afirmam saber muito bem o lugar para onde estão indo. Assim são os adolescentes: sempre têm os bolsos cheios de certezas. Só muito tarde descobrem que certezas valem menos que um tostão furado.

Seria muito mais racional e menos doloroso que vocês fossem obrigados agora a escolher a mulher ou o marido.

Hoje casamento é destino para o qual só se vende passagem de ida e volta. É muito fácil voltar ao ponto de partida e recomeçar: basta que os sentimentos e as ideias tenham mudado.

Mas a viagem para a qual vocês estão comprando passagens dura cinco anos, pelo menos. E se depois de chegar lá vocês não gostarem? Nada garante... Vocês nunca estiveram lá. E se quiserem voltar? Não é como no casamento.

É complicado. Leva pelo menos outros cinco anos para chegar a um outro lugar, com esse bilhete que se chama vestibular e essa ferrovia que se chama universidade. E é duro voltar atrás, começar tudo de novo. Muitos não têm coragem para isso, e passam a vida inteira num lugar que odeiam, sonhando com um outro.

Em Minas, onde nasci, se diz que para se conhecer uma pessoa é preciso comer um saco de sal com ela. Os apaixonados desacreditam. Quem é acometido da febre da paixão desaprende a astúcia do pensamento, fica abobalhado, e passa a repetir as asneiras que os apaixonados têm repetido pelos séculos afora: "Ah! mãe, ele é diferente..." "Eu sei que o meu amor por ela é eterno. Sem ela eu morro..." E assim se casam, sem a paciência de comer um saco de sal. Se tivessem paciência descobririam a verdade de um outro ditado: "Por fora bela viola; por dentro pão bolorento...".

Coisa muito parecida acontece com a profissão: a gente se apaixona pela bela viola, e só tarde demais, no meio do saco de sal, se dá conta do pão bolorento.

O Pato Donald arranjou um emprego de porteiro, num edifício de ricos. Sentiu-se a pessoa mais importante do mundo e estufou o peito por causa do uniforme que lhe deram, cheio de botões brilhantes, fios dourados e dragonas...

Acontece assim também na escolha das profissões: cada uma delas tem seus uniformes multicoloridos, seus botões brilhantes, fios dourados e dragonas. Veja, por exemplo, o fascínio do uniforme do médico. Por razões que Freud explica qualquer mãe e qualquer pai desejam ter um filho médico. Lembram-se de *Sociedade dos poetas mortos*? O pai do jovem ator queria, por tudo neste mundo, que o filho fosse médico. E ele não está sozinho. O médico é uma transformação poética do herói Clint Eastwood: o pistoleiro solitário, apenas com a sua coragem e o seu revólver, entra no lugar da morte, para travar batalha com ela. Como São Jorge. O médico, em suas vestes sacerdotais verdes, apenas os olhos se mostrando atrás da máscara, a mão segurando a arma, o bisturi, o sangue escorrendo do corpo do inocente, em luta solitária contra a morte. Poderá haver imagem mais bela de um herói?

Todas as profissões têm seus uniformes, suas belas imagens, sua estética. Por isso nos apaixonamos e compramos o bilhete de ida... Mas a profissão não é isso. Por fora bela viola, por dentro pão bolorento...

Uma amiga me contou, feliz, que uma parente querida havia passado no vestibular de engenharia. "Que engenharia?", perguntei. "Civil", ela respondeu. "Por que esta escolha?" – insisti. "É que ela gosta muito de matemática." Pensei então na bela imagem do engenheiro – régua de cálculo, compasso e prumo nas mãos, em busca do ponto de apoio onde a alavanca levantaria o mundo! "Se ela tanto ama a matemática talvez tivesse feito melhor escolha estudando matemática. Engenheiro, hoje, mexe pouco com matemática. Tudo já está definido em programas de computador. O dia a dia da maioria dos engenheiros é tomar conta de peão em canteiro de obra...".

Isso vale para todas as profissões. É preciso perguntar: "Como será o meu dia a dia, enquanto como o saco de sal que não se acaba nunca?".

Mas há outros destinos, outros trens. Não é verdade que o único caminho bom seja o caminho universitário.

Acho que poucos jovens sequer consideram tal possibilidade. É que eles se comportam como bando de maritacas: onde vai uma vão todas. Não podem suportar a ideia de ver o "bando" partindo, enquanto eles não embarcam, e ficam sozinhos na plataforma da estação...

Deixo aqui, como possibilidade não pensada, este poema de Walt Whitman, o poeta de *Sociedade dos poetas mortos:*

Em nome de vocês...
Que ao homem comum ensinem
a glória da rotina e das tarefas
de cada dia e de todos os dias;
que exaltem em canções
o quanto a química e o exercício
da vida não são desprezíveis nunca,
e o trabalho braçal de um e de todos
– arar, capinar, cavar,
plantar e enramar a árvore,
as frutinhas, os legumes, as flores:
que em tudo isso possa o homem ver
que está fazendo alguma coisa de verdade,
e também toda mulher
usar a serra e o martelo
ao comprido ou de través,
cultivar vocações para a carpintaria,
a alvenaria, a pintura,
trabalhar de alfaiate, costureira,

ama, hoteleiro, carregador,

inventar coisas, coisas engenhosas,

ajudar a lavar, cozinhar, arrumar,

e não considerar desgraça alguma

dar uma mão a si próprio.

Desejo a vocês uma boa viagem. Lembrem-se do dito do João: "A coisa não está nem na partida e nem na chegada, mas na travessia...". Se, no meio da viagem, sentirem enjoo ou não gostarem dos cenários, puxem a alavanca de emergência e caiam fora. Se, depois de chegar lá, ouvirem falar de um destino mais alegre, ponham a mochila nas costas, e procurem um outro destino. *Carpe diem*!

2
AS CRIANÇAS

Uma criança é inocência e esquecimento,
um novo começo, um jogo, um moto-contínuo,
um primeiro movimento, um "sim", sagrado.
Para o jogo da criação um "sim" sagrado é
necessário...

Nietzsche

A inutilidade da infância

O pai orgulhoso e sólido olha para o filho saudável e imagina o futuro.

– Que é que você vai ser quando crescer?

Pergunta inevitável, necessária, previdente, que ninguém questiona.

– Ah! Quando eu crescer, acho que vou ser médico!

A profissão não importa muito, desde que ela pertença ao rol dos rótulos respeitáveis que um pai gostaria de ver colados ao nome do seu filho (e ao seu, obviamente)... Engenheiro, diplomata, advogado, cientista...

Imagino um outro pai, diferente, que não pode fazer perguntas sobre o futuro. Pai para quem o filho não é uma entidade que "vai ser quando crescer", mas que simplesmente é, por enquanto... É que ele está muito doente, provavelmente não chegará a crescer e, por isso mesmo, não vai ser médico, nem mecânico nem ascensorista.

Que é que seu pai lhe diz? Penso que o pai, esquecido de todos "os futuros possíveis e gloriosos" e dolorosamente consciente da presença física, corporal, da criança, aproxima-se dela com toda a ternura e lhe diz: "Se tudo correr bem, iremos ao jardim zoológico no próximo domingo...".

É, são duas maneiras de se pensar a vida de uma criança. São duas maneiras de se pensar aquilo que fazemos com uma criança.

Eu me lembro daquelas propagandas curtinhas que se fizeram na televisão, por ocasião do ano da criança deficiente, para provar que ainda havia alguma esperança, para dizer que alguma coisa estava sendo feita. E apareciam lá, na tela, crianças e adolescentes, cada um excepcional a seu modo, desde Síndrome de Down até cegueira, e aquilo que nós estávamos fazendo com eles... Ensinando, com muito amor, muita paciência. E tudo ia bem até que aparecia o ideólogo da educação especial para explicar que, daquela forma, esperava-se que as crianças viessem a ser *úteis* socialmente... E fiquei a me perguntar se não havia uma pessoa sequer que dissesse coisa diferente, que aquelas escolas não eram para transformar cegos em fazedores de vassouras nem para automatizar os portadores de Síndrome de Down para que aprendessem a pregar botões sem fazer confusão... Será que é isto? Sou o que faço? Ali estavam crianças com necessidades especiais, não seres que virariam seres sociais e receberiam o reconhecimento público se, e somente se, fossem transformados em *meios de produção*. Não encontrei nem um só que dissesse:

> Com esta coisa toda que estamos fazendo, esperamos que as crianças sejam felizes, deem muitas risadas, descubram que a vida é boa... Mesmo uma criança especial pode ser feliz. Se uma borboleta, se um pardal e se uma ignorada rãzinha podem encontrar alegria na vida, por que não estas crianças, só porque nasceram um pouco diferentes...?

Voltamos ao pai e ao seu filhinho. Que temos a lhes dizer?

Que tudo está perdido? Que o seu filho é um não ser porque nunca chegará a ser útil socialmente? E ele nos responderá:

> Mas não pode ser... Sabe? Ele dá risadas. Adora o jardim zoológico. E está mesmo criando uns peixes, num aquário. Você não imagina a alegria que ele tem, quando nascem os filhotinhos. De noite nós nos sentamos e conversamos. Lemos estórias, vemos figuras de arte, ouvimos música, rezamos... Você acha que tudo isto é inútil? Que tudo isto não faz uma pessoa? Que uma criança não é, que ela só será depois que crescer, que ela só será depois de transformada em meio de produção?

E eu me pergunto sobre a escola... Que crianças ela toma pelas mãos?

Claro, se a coisa importante é a utilidade social temos de começar reconhecendo que a criança é inútil, um trambolho. Como se fosse uma pequena muda de repolho, bem pequena, que não serve nem para salada nem para ser recheada mas que, se propriamente cuidada, acabará por se transformar num gordo e suculento repolho e, quem sabe, num saboroso chucrute. Então olharíamos para a criança não como quem olha para uma vida que é um fim em si mesma, que tem direito ao hoje pelo hoje... Ora, a muda de repolho não é um fim. É um meio. O agricultor ama, nas mudinhas de repolho, os caminhões de cabeças gordas que ali se encontram escondidas e prometidas. Ou, mais precisamente, os lucros que delas se obterão... utilidade social.

Reconheçamos: as crianças são inúteis...

Entre nós inutilidade é nome feio. Já houve tempo, entretanto, em que ela era a marca de uma virtude teologal. Duvidam? Invoco Santo Agostinho, mestre venerável que declara em *De Doctrina Christiana*: "Há coisas para serem usufruídas, e outras para serem usadas". E ele acrescenta: "Aquelas que são para serem usufruídas nos tornam bem-aventurados". Coisas que podem ser usadas são úteis: são meios para um fim exterior a elas. Mas as coisas que são usufruídas nunca são meio para nada. São fins em si mesmas. Elas nos dão prazer. São inúteis.

Uma sonata de Scarlatti é útil? E um poema? E um jogo de xadrez? Ou empinar papagaios?

Inúteis.

Ninguém fica mais rico.

Nenhuma dívida é paga.

Por que nos envolvemos nessas atividades, se lhes faltam a seriedade do pragmatismo responsável e os resultados práticos de toda atividade técnica? É que, muito embora não produzam nada, elas produzem o prazer.

O primeiro pai fazia ao filho a pergunta da utilidade: "Qual o nome do meio de produção em que você deseja ser transformado?". O segundo, impossibilitado de fazer tal pergunta, descobriu um filho que nunca descobriria, de outra forma: "Vamos brincar juntos, no domingo?"

E as nossas escolas? Para quê?

Conheço um mundo de artifícios de psicologia e de didática para tornar a aprendizagem mais eficiente. Aprendizagem mais eficiente: mais sucesso na transformação do corpo infantil brincante no corpo adulto produtor. Mas para saber se vale a pena seria necessário que comparássemos os risos das crianças com os risos dos adultos, e comparássemos o sono das crianças com o sono dos adultos. Diz a psicanálise que o projeto inconsciente do ego, o impulso que vai empurrando a gente pela vida afora, esta infelicidade e insatisfação indefinível que nos faz lutar para ver se, depois, num momento do futuro, a gente volta a rir... sim, diz a psicanálise que este projeto inconsciente é a recuperação de uma experiência infantil de prazer. Redescobrir a vida como brinquedo. Já pensaram no que isso implicaria? É difícil. Afinal de contas as escolas são instituições dedicadas à destruição das crianças. Algumas, de forma brutal. Outras, de forma delicada. Mas em todas elas se encontra o moto:

"A criança que brinca é nada mais que um meio para o adulto que produz".

Os grandes contra os pequenos

Vou contar uma estória que aconteceu de verdade. Sobre um menininho de oito anos, meu amigo. Passei, por acaso, na cidade onde ele mora. O avião chegou tarde. Seus pais foram me esperar no aeroporto. Enquanto íamos para casa perguntei:

– Então, e o Gui, como vai?

– Ah! Sua mãe me segredou, preocupada. Não vai bem, não. Na escola. O orientador educacional nos chamou. Problemas de aprendizagem, desatenção, cabeça voando, incapacidade de concentração. Até nos mandou para um psicólogo.

Fiquei surpreso. O Gui sempre me parecera um menininho alegre, curioso, feliz. O que teria acontecido?

Sua mãe continuou:

– O psicólogo pediu um eletroencéfalo...

Aí me assustei. Imaginei que o Gui deveria ter tido alguma perturbação neurológica grave, algum desmaio, convulsão...

– Não, não teve nada – a mãe me tranquilizou. Mas o psicólogo pediu... Nunca se sabe... Até ele não aceitou o exame no lugar onde mandamos fazer. Pediu outro...

Fiquei imaginando o que deveria estar se passando na cabeça do Gui, pai e mãe indo conversar com orientador, entrevista com o psicólogo, depois aquela mesa, fios ligados à cabeça. Claro que alguma coisa deveria estar muito errada com ele. Tendo visto tantos desenhos de ficção científica na TV, é provável que ele tivesse pensado que, quando a máquina fosse ligada, os seus olhos iriam acender e piscar como luzinhas de diversões eletrônicas...

Quando acordei, no dia seguinte, estranhei. Não vi o Gui lá pela casa. Mas era sábado, dia lindo, céu azul. Com certeza estaria longe, empinando uma pipa, jogando bolinhas de gude, rodando pião, brincando com a meninada. Dia bom para vadiar, coisa abençoada para quem pode. Pelo menos é isto que aprendi dos textos sagrados, que o Criador, depois de fazer tudo, no sábado parou, sorriu e ficou feliz...

– Não, ele está estudando.

Foi aí que comecei a ficar preocupado. Assentadinho, no quarto, livro aberto à sua frente. Nem veio me dar um abraço. Ficou lá, com o livro. Cheguei perto e começamos a conversar. E ele logo entrou na coisa que o afligia:

– É, tenho de fazer quinze pontos, porque se não fizer fico de recuperação. E isto é ruim, estraga as férias...

Lembrei-me logo do ratinho preso na caixa. Se pular alto que chegue, ganha comida. Se falhar, leva um choque... O seu pelo fica arrepiado de pavor, com medo do fracasso. Ficou doente. Fizeram-no doente.

Eu não sabia o que é que os tais quinze pontos significavam. Mas compreendi logo que eles eram o limite abaixo do qual vinha o choque. O Gui já aprendera lições não ensinadas: que o tempo se divide em tempo de aflição e tempo de alegria, escola e férias, dor e prazer... E a professora ainda queria que ele se concentrasse, e gostasse da coisa... Mas como? A cabecinha dele estava longe, o tempo todo, pensando em como seria boa a vida se a escola também fosse coisa gostosa. Desatenção na criança não quer dizer que ela tenha dificuldades de aprendizagem. Quer dizer que há alguma coisa errada com a escola, e que a criança ainda não se dobrou, recusando-se a ser domesticada...

Continuamos a conversa e ele começou a falar de uma forma estranha, que eu nunca ouvira antes. Vocês podem imaginar uma criança de oito anos falando em aclive e declive?

Pois é, não aguentei e interrompi:

– Que é isto, Gui? Por que é que você não fala morro abaixo e morro acima?

– Mas a professora disse...

Compreendi então. A pinoquização já se iniciara. Um menininho de carne e osso já não usava mais suas próprias palavras. Repetia o que a professora dissera...

Fiquei pensando em quem é que estava doente: o menino ou a escola...

Claro que o ratinho tem que ficar de pelo arrepiado. Pois o choque vem... E eu pergunto se não está mais doente ainda quem dá o choque. Surpreendi-me com esta enorme e perversa conspiração entre a direção das escolas, os orientadores, os psicólogos. Todos unidos, contra a criança. O orientador, coitado, não tem alternativas. Se se aliar à criança, perde o emprego. Ele é o ideólogo da instituição, encarregado de convencer os pais, por meio de uma linguagem técnica, de que tudo vai bem com a escola e de que é melhor que eles cuidem da criança.

– Até que ela não é má. Só está tendo problemas. Seria bom levá-la a um psicólogo...

O psicólogo, por sua vez, fica atrapalhado. Que é que vai fazer? Desautorizar o diagnóstico de uma rara fonte de clientes? É melhor fazer um eletro. Fios e gráficos dão sempre um ar de respeitabilidade científica a tudo...

Lembrei-me da velhíssima estória do cliente que chegava ao analista e dizia:

– Doutor, tem um jacaré debaixo da minha cama!

– Sua cama não está na beirada da lagoa, está? Então não há jacaré nenhum debaixo da sua cama. Volte para casa, durma bem...

E assim foi, semana após semana, até que o tal cliente não mais voltou. O analista ficou feliz. O tipo devia ter-se curado da estranha alucinação. Até que, um dia, encontrou-se na rua com um amigo do homem do jacaré.

– Então, e o fulano, como vai? Sarou de tudo?

– Mas o senhor não soube do acontecido? Ele foi comido por um jacaré que morava debaixo da sua cama...

Há muitas escolas que não passam de jacarés. Devoram as crianças em nome do rigor, de ensino apertado, de boa base, de preparo para o vestibular. É com essa propaganda que elas convencem os pais e cobram mais caro... Mas, e a infância? E o dia que não se repetirá nunca mais? E os sonos frequentados por pesadelos de quinze pontos, recuperação, férias perdidas e palavras de ventríloquo? Escolas-jacarés, que as crianças têm de frequentar, e quando começam a demonstrar sinais de pavor diante do bicho, tratam logo de dizer que o bicho vai muito bem, obrigado, que é a criança que está tendo problemas, um foco cerebral com certeza, neurologista, psicólogo, psicanalista, e os pais vão, de angústia em angústia, gastando dinheiro, querendo o melhor para o filho...

Quanto a mim, considero que isso não passa de crueldade dos grandes contra os pequenos. Torturá-los agora, em benefício daquilo que eles poderão ser, um dia, se caírem nas armadilhas que os desejos dos grandes para eles armam...

Não, Gui, fique tranquilo. Está tudo certinho com você. São os outros que deveriam ser ligados a fios elétricos até que os seus olhos piscassem como se fossem lâmpadas de brinquedos eletrônicos...

O avesso

Umberto Eco sugeriu que se criasse uma *Faculdade de Irrelevâncias Alternativas.* Acho que os professores universitários não o levaram a sério, pensaram que se tratava de uma piada, pois estão por demais enrolados em suas "irrelevâncias oficiais" para acreditar que algo possa existir fora delas. Lichtenberg fez proposta semelhante há dois séculos. Disse ele: "Num momento em que só se pensa em construir universidades para espalhar o novo saber, eu sonho com o dia em que se construirão universidades para ensinar a antiga ignorância".

Junto-me aos dois com a sugestão de que se crie uma *Faculdade do Avesso.* Se há Faculdades de Direito, que estudam as leis que regem a sociedade normal, é lógico e necessário que haja *Faculdades do Avesso,* dedicadas a estudar aquilo que se veria se o tapete estivesse virado ao contrário. Como nos ensina o *Tao Te Ching,* é preciso que haja o Avesso para que o Direito possa existir. Já pensaram num tapete sem avesso? Até Deus tem o seu avesso, que é o Diabo.

Acontece que esses olhos que temos na cara, muito bem explicados naqueles quadros que os oftalmologistas penduram em salas de espera, só conseguem ver o lado direito das coisas. Por isso dizia o Alberto Caeiro que não basta ter olhos para ver as coisas. Os zen budistas falavam na necessidade de que um terceiro olho fosse aberto, e a isso davam o nome de *satori.* O poeta Cummings dizia a mesma coisa, e falava na abertura do olho que mora dentro dos olhos.

Gente que vê o avesso é o Paulo, dono da Floríssima, floricultura linda, que visito sempre sem precisar comprar, por puro prazer. Gosto de ver as bonsais. Bonsais, você deve saber, são aquelas miniaturas de árvores, japonesas. Eu as acho lindas. Penso com enorme ternura no homem que planta a arvorezinha, sabendo que ela só vai atingir a sua plenitude quando ele estiver morto. E é uma alegria poder ter uma árvore dentro da sala, quando se mora num lugarzinho minúsculo. Eu tinha uma bonsai maravilhosa, de 20 anos, que um amigo me deu. O jardineiro, não sabendo das delicadezas da velha arvorezinha, afofou a terra e pôs adubo estranho nela. Ela levou um susto tão grande que faleceu de enfarte fulminante. Sofri e resolvi que não a jogaria fora. Jogar fora seria o Direito da situação. Optei pelo Avesso. Tirei a terra do vaso, enchi de cimento, cobri com minúsculas pedrinhas, e envernizei o tronco morto. E lá está a bonsai, transformada em escultura.

Mas eu tinha um grilo com elas: os métodos usados para produzi-las se pareciam demais com os métodos que usamos para educar as crianças; a poda das raízes, pois a árvore não pode crescer; a poda dos galhos para que a árvore fique do jeito que queremos e não do jeito que ela quer; e o entortamento do tronco, por meio de arames: é de pequenino que se entorta o pepino...

Mas foi vendo as bonsais do Paulo da Floríssima que aprendi que as bonsais também podem ser vistas pelo avesso. "Esta aqui", e ele me apontava para uma bonsai de figueira, a planta colocada sobre uma pedra, as raízes à mostra deslizando em busca da terra, "eu achei quase invisível, espremida, crescendo numa fresta de árvore. Esta outra" – e me apontava para uma *schefleria* – "encontrei misturada com tijolos e telhas numa caçamba de entulho. Aquela outra, coqueirinho, estava esperando a morte, toda queimada por excesso de torta de mamona, na casa de um amigo. E a *strelizia* foi separada de um lote de mudas para ser jogada fora, por ser muito raquítica...".

Lá estão elas – lindas, tiradas do refugo e transformadas em beleza, pela arte dos olhos e das mãos de quem vê o Avesso.

Lembrei-me então do Gramanni, de quem tenho a felicidade de ser amigo. Dizem que ele é músico. Protesto e discordo: o Gramanni não é músico, ele é música. Tudo aquilo que ele toca vira melodia, e o prazer dele é tocar rabeca. O dicionário diz que rabeca é o nome antigo para o violino. Mas hoje rabeca é nome de um violino rústico, feito por artesão da roça, apresentando-se frequentemente nu, sem as roupas do verniz. Violino é coisa fina, que combina com sobrecasaca e gravata borboleta. Rabeca, ao contrário, combina com botina e bolo de fubá. A rabeca é a prima caipira do cosmopolita violino. Pois o Gramanni gosta é das rabecas sem *pedigree* e sem nome. Mas basta que ele as pegue para que elas comecem a produzir beleza. Já o vi mesmo tocando numa rabeca que os que só veem pelo direito jamais imaginariam que fosse capaz de fazer música.

E esta crônica é também avesso do que não contei. É que a Fundação Catarinense de Educação Especial convidou-me a fazer uma palestra sobre deficientes – cegos, surdos, Síndrome de Down, paraplégicos – e pensei que os que moram no Direito olham para eles e o que veem é deficiência mesmo, algo está faltando, não são iguais aos normais, devem ficar em instituições especializadas para não atrapalhar – a Cinderela devia ser deficiente, senão sua mãe não a proibiria de ir ao baile, deixando-a trancada com as empregadas, era preciso escondê-la pois o embaraço dos pais seria muito grande se os olhos dos outros a vissem, o seu lugar era mesmo junto ao borralho e o seu destino era ficar lá, feito o coqueirinho queimado, abandonado esperando a morte...

Mas do Avesso, tudo fica diferente, e a gente aprende do Paulo e do Gramanni que o Avesso é o lugar onde a beleza mora, escondida. Mas, como na estória da Bela Adormecida, é preciso que haja alguém que dê o beijo para despertá-la. Para que a beleza vire bonsai ou música é preciso que os pais, os professores e os amigos sejam artistas. Se forem artistas, então os "deficientes" ficarão bonitos e poderão viver espalhando alegria.

3
FÁBULAS

Sê atento à hora em que o teu espírito deseja falar por meio de parábolas. É ali que a tua virtude tem começo. Somente na dança eu sei como contar a parábola das coisas mais altas...

Nietzsche

O currículo dos urubus

Não conheço estória que combine malandragem psicanalítica com convicção pedagógica como *Pinóquio*. Depois de levar a criança a se identificar com um boneco de pau, a trama progride proclamando que é necessário ir à escola para virar gente. Caso contrário o destino inevitável é virar burro, com rabo, orelhas, zurros e tudo o mais que pertence à burrice. Claro que este é um golpe desonesto. Seria necessário dizer com clareza aquilo que aqui ficou simplesmente mal dito, contando sobre o destino invertido daqueles que eram de carne e osso ao entrar na escola e só receberam diplomas depois de se transformarem em bonecos de pau.

Alguém já devia ter dito essas coisas às crianças: é uma exigência da honestidade. Mas ninguém até agora se atreveu. A razão? Parece que dentro de cada um de nós mora um Gepeto. A inversão do *script* poderia parecer uma tentativa de corromper a juventude, e o inovador acabaria por ser enxotado, como se fosse parte do bando de espertalhões que desviou Pinóquio do sagrado caminho em busca da humanidade, o caminho da escola.

Quero correr este risco. Ainda vou inventar a tal estória. A moral já está pronta: por vezes, a maior prova de inteligência se encontra na recusa em aprender.

Sei que esta proposta é insólita e que o leitor, meio Gepeto sem o saber (como eu também, quando mando meus filhos à escola), haverá de me pedir explicações.

Confesso que não tenho muitas evidências em minhas mãos. Ainda não fiz as pesquisas nem fichei as notas de rodapé. Mas os meus pensamentos se metamorfosearam em uma parábola que passo a contar:

O rei Leão, nobre cavalheiro, resolveu certa vez que nenhum dos seus súditos haveria de morrer na ignorância. Que bem maior que a educação poderia existir?

Convocou o urubu, impecavelmente trajado em sua beca doutoral, companheiro de preferências e de churrascos, para assumir a responsabilidade de organizar e redigir a cruzada do saber. Que os bichos precisavam de educação, não havia dúvidas. O problema primeiro era o que ensinar. Questão de currículo: estabelecer as coisas sobre as quais os mestres iriam falar e os discípulos iriam aprender. Parece que havia acordo entre os participantes do grupo de trabalho, todos urubus, é claro: os pensamentos dos urubus eram os mais verdadeiros; o andar dos urubus era o mais elegante; as preferências de nariz e de língua dos urubus eram as mais adequadas para uma saúde perfeita; a cor dos urubus era a mais tranquilizante; o canto dos urubus era o mais bonito. Em suma: o que é bom para os urubus é bom para o resto dos bichos. E assim se organizaram os currículos, com todo o rigor e precisão que as últimas conquistas da didática e da psicologia da aprendizagem podiam merecer. Elaboraram-se sistemas sofisticados de avaliação para teste de aprendizagem. Os futuros mestres foram informados da importância do diálogo para que o ensino fosse mais eficaz e chegavam mesmo, vez por outra, a citar Martin Buber. Isso tudo sem falar na parafernália tecnológica que se importou do exterior, máquinas sofisticadas que podiam repetir as aulas à vontade para os mais burrinhos, e fascinantes circuitos de televisão. Ah! Que beleza! Tudo aquilo dava uma deliciosa impressão de progresso e eficiência e os repórteres não se cansavam de fotografar as luzinhas piscantes das máquinas que haveriam de produzir saber, como uma linha de montagem produz um automóvel. Questão de organização, questão de técnica. Não poderia haver falhas.

Começaram as aulas, de clareza meridiana. Todo mundo entendia. Só que o corpo rejeitava. Depois de uma aula sobre o cheiro e o gosto bom da carniça, podiam-se ver grupinhos de pássaros que discretamente (para não ofender os mestres) vomitavam atrás das árvores. Por mais que fizessem ordem unida para aprender o gingado do urubu, bastava que se pilhassem fora da escola para que voltassem todos os velhos e detestáveis hábitos de andar. E o pavão e as araras não paravam de cochichar, caçoando da cor dos urubus: "Preto é a cor mais bonita? Uma ova...".

E assim as coisas se desenrolaram, de fracasso em fracasso, a despeito dos métodos cada vez mais científicos e das estatísticas que subiam. E todos comentavam, sem entender: "A educação vai muito mal...".

Gosto de estórias porque elas dizem com poucas palavras aquilo que as análises dizem de forma complicada. Todo mundo reclama do fracasso da educação no Brasil. Os alunos de hoje não são como os alunos de antigamente. Nem mesmo sabem escrever. Que dizer do aprendizado da Ciência, esta coisa tão importante para o projeto *Brasil grande potência*? E eu fico a me perguntar se o problema não está justamente aqui. Um bem-te-vi que consiga ser aprovado com distinção na escola dos urubus pode ser muito inteligente para os urubus. Bem-te-vi é que ele não é. Não passa de um degenerado. E aqui volto à moral da estória do Pinóquio às avessas, que ainda vou escrever, aquela mesma que causou o espanto: por vezes, a maior prova de inteligência se encontra na recusa em aprender.

É que o corpo tem razões que a didática ignora. Vomitar é doença ou é saúde? Quando o estômago está embrulhado, aquela terrível sensação de enjoo, todo mundo sabe que o dedo no fundo da garganta provocará a contração desagradável mas saudável. Fora com a coisa que violenta o corpo! Nietzsche dizia em certo lugar (não consegui encontrar a citação) que ele amava os estômagos recalcitrantes, exigentes, que escolhiam a sua comida, e detestava os avestruzes, capazes de passar em todos os testes de inteligência, por sua habilidade de digerir tudo. Estômago exigente, capaz de resistir e de vomitar. Em cada vômito uma denúncia: a comida é imprópria para a vida.

E eu me pergunto se este tão denunciado e tão chorado fracasso da educação brasileira não será antes um sinal de esperança, de que continuamos capazes de discernir o que é bom para o corpo daquilo que só é bom para o lucro. Esquecer depressa: não é esta a forma pela qual a cabeça vomita a comida de urubu que lhe foi imposta? Cursinho vestibular, exame vestibular: banquete de urubu? É fácil saber. Que se sirva a mesma comida, seis meses depois.

Uma ideia a ser explorada: para educar bem-te-vi é preciso gostar de bem-te-vi, respeitar o seu gosto, não ter projeto de transformá-lo em urubu. Um bem-te-vi será sempre um urubu de segunda categoria. Talvez, para se repensar a educação e o futuro da Ciência, devêssemos começar não dos currículos-cardápios, mas do desejo do corpo que se oferece à educação. É isto: começar do desejo...

O urso burro

Há a estória dos dois ursos que caíram numa armadilha e foram levados para um circo. Um deles, com certeza mais inteligente que o outro, aprendeu logo a se equilibrar na bola e a andar no monociclo, o seu retrato começou a aparecer em cartazes e todo mundo batia palmas: "Como é inteligente!" O outro, burro, ficava amuado num canto, e, por mais que o treinador fizesse promessas e ameaças, não dava sinais de entender. Chamaram o psicólogo do circo e o diagnóstico veio rápido: "É inútil insistir. O Q.I. é muito baixo...".

Ficou abandonado num canto, sem retratos e sem aplausos, urso burro, sem serventia... O tempo passou. Veio a crise econômica e o circo foi à falência. Concluíram que a coisa mais caridosa que se poderia fazer aos animais era devolvê-los às florestas de onde haviam sido tirados. E, assim, os dois ursos fizeram a longa viagem de volta.

Estranho que em meio à viagem o urso tido por burro parece ter acordado da letargia, como se ele estivesse reconhecendo lugares velhos, odores familiares, enquanto seu amigo de Q.I. alto brincava tristemente com a bola, último presente. Finalmente, chegaram e foram soltos. O urso burro sorriu, com aquele sorriso que os ursos entendem, deu um urro de prazer e abraçou aquele mundo lindo de que nunca se esquecera. O urso inteligente subiu na sua bola e começou o número que sabia tão bem. Era só o que sabia fazer. Foi então que ele entendeu, em meio às memórias de gritos de crianças, cheiro de pipoca, música de banda, saltos de trapezistas e peixes mortos servidos na boca, que há uma inteligência que é boa para circo. O problema é que ela não presta para viver. Para exibir sua inteligência ele tivera de se esquecer de muitas coisas. E esse esquecimento seria sua morte. E podemos nos perguntar se o desenvolvimento da inteligência não se dá, sempre, à custa de coisas que devem ser esquecidas, abandonadas, deixadas para trás...

Essa estória tomou forma na minha cabeça quando li duas notícias de jornal que me fizeram rir e franzir a testa ao mesmo tempo. A primeira conta as desventuras de um astronauta que se ralou todo, rolando morro abaixo, na tentativa de escalar uma montanha. Sempre pensei em astronautas como seres especiais, peneirados por meio de testes do maior rigor, daqueles que investigam o fundo das células e o fundo da alma, de sorte que os poucos que resistem só podem ser os de físico mais apto e de inteligência mais aguda. E nem poderia ser de outra forma, porque do seu desempenho depende não só o sucesso de projetos que custam milhões de dólares como também o orgulho de milhões de pessoas que têm sua bandeira pintada no bico do foguete. Claro que o dono do circo não iria colocar na bola o urso burro. Seria o fiasco.

Depois li que nasceu o primeiro bebê, primogênito de uma nova estirpe de seres, resultado de um banco de esperma de pessoas muito inteligentes, bolado por um Prêmio Nobel, o qual, com certeza, se inscreveu como doador número um.

A risada começou quando, lendo um pouco mais a primeira notícia, fiquei sabendo que as desventuras do astronauta se deviam ao fato de que, não contente por haver voado do outro lado da Lua, resolvera fazer viagens ao passado. E era exatamente isto que estava fazendo: escalando o monte Ararat que, segundo os relatos bíblicos, foi o lugar onde pousou a Arca de Noé. Tudo era simples para sua inteligência que aprendera muito e, para isto, tivera de esquecer. Esquecera-se de que mapas de astronomia não podem ser colados aos mapas da mitologia, porque os mapas da astronomia referem-se aos espaços de fora, enquanto os mapas da mitologia referem-se aos espaços de dentro, espaços de um passado que a imaginação transformou em horizonte. Daí o fim triste da expedição, escorregão, quem sabe, num detrito fossilizado de elefante... É. Há uma inteligência que é boa para circo, mas não é boa para outras coisas.

A outra estória, mais hilariante, começa a provocar gargalhadas no momento em que a imaginação reconstitui a terrível cena de um senhor respeitável, detentor do prêmio maior do saber científico, envolvido nos esforços preliminares à doação do suco mágico da vida e da inteligência, convencido de que, desta forma, uma nova estirpe de gênios estaria se iniciando, esperança de um mundo novo. De novo, o tragicômico está na ignorância dos mitos. Agora não os mitos milhares de anos antigos, mas os mitos particulares e privados de arrogância e superioridade, que vão junto com a confissão silenciosa: "O mundo seria maravilhoso se todos fossem iguais a mim...".

É, sempre que a inteligência se destaca de um lado, alguma coisa fica esquecida do outro. Aleijão.

Claro que o urso teve de se esquecer de tudo o mais para aprender a andar na bola: concentração, disciplina, coordenação motora. Coisa semelhante às exigências da especialização. Para nos especializarmos em algo, tirar nota máxima, ganhar aplausos, retratos nos cartazes e até Prêmio Nobel, é necessária aquela intensidade de concentração que nos obriga a esquecer do resto. E não existe nada de basicamente errado com isso. É graças a essa disciplina que temos pianistas, poetas, cirurgiões e mecânicos. O problema está na confusão que fazemos entre andar na bola e inteligência. Mas aí há sempre alguma coisa que foi esquecida. Coisa da qual, talvez, dependam a nossa vida e a nossa morte. Uma sociedade de especialistas é uma sociedade que se esqueceu de que, para sobreviver, não basta andar na bola...

Os antigos usavam a palavra *sapiência*. *Sapiência* quer dizer conhecimento que tem sabor. Ainda hoje dizemos: "Isto sabe bem". Saber é sentir o sabor. Mas sabor é aquilo que se encontra às portas do corpo, prestes a ser engolido. O que importa aqui não é a *performance* extraordinária, coisa de circo, mas uma capacidade para avaliar se a coisa é boa para a vida ou não. Para se construir uma bomba atômica é preciso ser muito inteligente. Para se tomar a decisão de se desmontar todas elas é necessário ser sábio. A solução do problema do crescimento econômico exige muita inteligência. A opção por um estilo de vida diferente precisa de muita sabedoria. Como os dois ursos nos ensinaram, um com um sorriso alegre e o outro com um sorriso amargo, a sabedoria, com frequência, mora do outro lado da inteligência.

oiuqóniP

Prometi e fiquei devedor. Disse antes que era um dever de honestidade contar a estória do Pinóquio às avessas. Depois de muito pensar, concluí que honestidade é pouco. É bondade que devemos às crianças. É preciso quebrar o feitiço das estórias que se repetem... Um bonequinho de pau, tão inofensivo... Mas já se tornou hóspede da imaginação dos meninos, e vai repetindo suavemente aquelas lições que dizem que quem não vai à escola não chega a ser humano. Claro que há pessoas que se metamorfoseiam em burros, havendo mesmo algumas que alcançam a dignidade de mulas sem cabeça. O que é duvidoso é que o agente de tão dramática transformação seja a falta da escola. As evidências indicam a falsidade da hipótese: as crianças de carne e osso que entram, para sair transformadas em bonecos de pau...

Assim, peço licença ao leitor acostumado ao sisudo discurso da Ciência. Quero brincar de Lewis Carroll. Entrar, mãos dadas com a Alice, espelho adentro, onde tudo acontece às avessas. Há uma magia nas imagens invertidas. Parece que, para se ver bem o real, é necessário pôr os óculos da fantasia. E assim começa a estória às avessas...

... Era uma vez um menininho, de carne e osso, igual a tantos, que se deleitava nas coisas simples que a vida dá. Ria nos seus mundos de faz de conta, voava nas asas dos urubus, assustava os peixes, nariz achatado nos vidros dos aquários, assobiava para os perus, andava na chuva – todas essas coisas que as crianças fazem e os adultos desejam fazer, e não fazem, por vergonha. Sua vida escorria feliz por cima do desejo.

Não sabia que uma conspiração estava em andamento. Tudo começara bem antes, quando um nome lhe fora dado. Nome do pai. Claro, confissão de intenções: que o menino sem nome e sem desejos aceitasse como seus o nome e os desejos de um outro que ele nem mesmo conhecia. Filho, extensão do pai, realização de desejos não realizados, sobrevivência do seu corpo, uma pitada de onipotência, uma gota de imortalidade.

"Que é que ele vai ser quando crescer? Médico? Diplomata? Cientista?"

E as conversas se prolongavam, temperadas com sorrisos e boas intenções, enquanto silenciosas se teciam as malhas do desejo em que pai e mãe esperavam colher/acolher/encolher o menino dos desejos simples...

Até que chegou o dia em que lhe foi dito:

– É preciso ir para a escola. Todos os meninos vão. Para se transformarem em gente. Deixar as coisas de criança. Em cada criança brincante dorme um adulto produtivo. É preciso que o adulto produtivo devore a criança inútil.

E assim aconteceu. Há certos golpes do destino contra os quais é inútil lutar.

O menino de carne e osso aprendeu coisas curiosas: nomes de heróis, frases que teriam dito, as alturas de montes onde nunca subiria, as funduras de mares onde nunca desceria, a distância de galáxias, o "se", partícula apassivadora, o "se", símbolo de indeterminação do sujeito, nomes de cidades de países longínquos, suas populações e riquezas, fórmulas e mais fórmulas...

Sabia que tudo aquilo deveria ter um motivo. Só que ele não entendia. O desejo permanecia selvagem. E disto eram prova aquelas notas vermelhas no boletim, testemunhas de como o menino cavalgava longe do desejo dos outros, conspiradores secretos, escondidos na monotonia dos currículos que não faziam o seu corpo sorrir...

– Pra que serve tudo isto?, ele perguntava.

O pai respondia, sábio e paciente:

– Um dia você saberá. Por ora basta saber que papai sabe o que é melhor para o seu filho...

O menino cresceu. E aconteceu que, em meio às suas rotinas, veio a se encontrar com dois cavalheiros bem vestidos e de fala branda, que se puseram a contar estórias de um mundo encantado sobre o qual ele nunca ouvira falar. Eles disseram de heróis em aventais brancos, cavalgando microscópios e telescópios, brandindo máquinas fantásticas e aparelhos misteriosos, em meio a líquidos mágicos que faziam viver e morrer, encastelados em templos onde as coisas visíveis ficavam invisíveis e as coisas invisíveis ficavam visíveis, e lhe disseram de prodígios de verdade, e lhe perguntaram se ele não desejava se transformar num mago, num artista... A recompensa? O poder, o conhecimento de segredos que ninguém conhece, a glória, ser olhado por todos como um ser diferente, sublime, superior. Se os seus prodígios fossem maiores que os de todos, ele poderia aparecer no palco supremo da Ciência, em país distante, onde os mortais se revestem de imortalidade...

O menino grande se lembrou dos sonhos do menino pequeno. E sorriu. Finalmente, chegara o momento da sua realização. Estranhou que os narizes dos respeitáveis cavalheiros tivessem crescido enquanto falavam. Mas logo o tranquilizaram:

– É só pra te cheirar melhor, meu filho...

Começaram as transformações. Primeiro os olhos. Já não refletiam outros olhares nem borboletas...

Aprenderam a concentração, a disciplina. Depois o corpo, que desaprendeu a dança, o voo dos papagaios e o brinquedo. Era necessário dedicar-se totalmente. Os pensamentos abandonaram as fantasias e os contos de fadas. Passaram a morar no mundo das fórmulas e dos experimentos. Até o prazer da comida se satisfez com os sanduíches rápidos do almoço, e na cama o corpo se esqueceu do corpo...

E aprendeu coisas preciosas. Que o corpo do cientista é neutro. Que ele não se comove por considerações de valor ou prazer. Que está acima da vida e da morte (isto é coisa de políticos, militares e clérigos), em dedicação total ao saber. Bastava-lhe ser um devotado servidor do progresso da Ciência.

Mas tantos sacrifícios acabaram por receber merecida recompensa. A sorte soprou, favorável, e de seu corpo diferente surgiu uma nova magia, e o palco da imortalidade lhe foi aberto. Lá, perante todos, compreendeu que valera a pena. Duas lágrimas lhe rolaram pela face.

Já não era o menino de outrora, carne e osso. Crescera. Estava diferente. Os aplausos de madeira enchiam a sala. Era a glória. E foi então que o milagre aconteceu. O recinto se encheu de suave luminosidade, e a Mosca Azul, que até então só habitara os seus sonhos, veio de longe e roçou seu rosto com suas asas. E a grande transformação aconteceu. Era um boneco de madeira, inteligência pura, sem coração. E os milhares de bonecos, iguais, de pé, não paravam de tamanquear os seus aplausos ao novo irmão, enquanto gritavam o seu nome: "Pinóquio, Pinóquio, Pinóquio...".

Urubus e sabiás

"Tudo aconteceu numa terra distante, no tempo em que os bichos falavam... Os urubus, aves por natureza becadas, mas sem grandes dotes para o canto, decidiram que, mesmo contra a natureza, haveriam de se tornar grandes cantores. E para isso fundaram escolas e importaram professores, gargarejaram do-ré-mi-fá, mandaram imprimir diplomas, e fizeram competições entre si, para ver quais deles seriam os mais importantes e teriam a permissão para mandar nos outros. Foi assim que eles organizaram concursos e se deram nomes pomposos, e o sonho de cada urubuzinho, instrutor em início de carreira, era se tornar um respeitável urubu titular, a quem todos chamam por Vossa Excelência. Tudo ia muito bem até que a doce tranquilidade da hierarquia dos urubus foi estremecida. A floresta foi invadida por bandos de pintassilgos tagarelas, que brincavam com os canários e faziam serenatas com os sabiás... Os velhos urubus entortaram o bico, o rancor encrespou a testa, e eles convocaram pintassilgos, sabiás e canários para um inquérito.

– Onde estão os documentos do seus concursos?

E as pobres aves se olharam perplexas, porque nunca haviam imaginado que tais coisas houvesse. Não haviam passado por escolas de canto, porque o canto nascera com elas. E nunca apresentaram um diploma para provar que sabiam cantar, mas cantavam, simplesmente...

– Não, assim não pode ser. Cantar sem a titulação devida é um desrespeito à ordem.

E os urubus, em uníssono, expulsaram da floresta os passarinhos que cantavam sem alvarás..."

Moral: Em terra de urubus diplomados não se ouve canto de sabiá.

4
O SABER E O VIVER

Afirmo que a única finalidade da ciência é aliviar a miséria da existência humana.

Brecht

O sermão das aves

Dizem que São Francisco, há oitocentos anos, pregava aos bichos. Naquele tempo isso não atrapalhou. Pelo contrário, até ajudou o seu reconhecimento como santo. Hoje, o resultado teria sido diferente: das alturas da santidade seria rebaixado às humilhações da psicose. Confesso que isso me preocupa um pouco porque, sem haver chegado ao ponto de pregar aos animais, reconheço que alguns dentre eles, especialmente as aves, me têm feito alguns sermões.

Primeiro foi uma rolinha que vi no terreno do meu vizinho, aqueles olhinhos mansos e assustados, bicando migalhas no cimento. Rolinha desgarrada, eu pensei. Porque elas não são como os pardais, bichos urbanos e progressistas, amigos do tráfego e das construções. Preferem os espaços em que o silêncio permite que o seu arrulho encrespe a sombra, como dizia Cecília Meireles. Mas eu estava enganado. No dia seguinte ela voltou, decidida, para ficar, acompanhada de parentes e amigos. Parece que a boa notícia se espalhara: agora o cimento era coisa boa para rolinhas...

Depois foram os bem-te-vis, que começaram a se aboletar nas antenas de televisão, em quantidades cada vez maiores, e de lá cantavam o seu canto sem assunto e gostoso, enchendo o espaço urbano de memórias de um passado que se havia perdido. Era como se o tempo do nunca mais voltasse...

Aí fui ajudar o meu filho numa horta que ele estava plantando num terreno abandonado, e vi coleirinhas, pássaros conhecidos meus de infância, dos quintais de jabuticabeiras e de laranjeiras de Minas Gerais, de muitos anos atrás.

Há poucas semanas, assentado perto de uns vasos de samambaia, na minha casa, vi um minúsculo pássaro baixar voo, pousar num deles, e simplesmente desaparecer no emaranhado de folhas. Era uma corruíra. Sem pedir licença, fizera seu ninho na minha varanda.

Tantas provas da volta dos pássaros me fizeram pensar numa possível conspiração das aves, algo parecido com filme de terror de Hitchcock. Mas o sobressalto teve curta duração, porque nada de suspeito ou de subversivo pude perceber quer no seu comportamento, quer nas suas ideologias trinadas... E me alegrei imaginando que, talvez, por razões que a minha razão desconhecia, tivéssemos experimentado um milagre de renovação. Ah! Faz tanto tempo que os pássaros nos abandonaram. Lembrei-me do livro que li faz anos, título esquecido. Me recordo de que, num submarino, eles mantinham um canário engaiolado. Não por amor ao bichinho, mas por amor à própria vida. É que quando o oxigênio ia acabando, o passarinho era o primeiro a morrer. Sinal de que faltava pouco tempo. Pois é. Nossos pássaros abandonaram, espantados, as nossas cidades. Antes de morrerem. Para não morrerem. Emigraram para lugares distantes onde a vida ainda morava. Os pastos que restavam. As poucas matas que haviam sobrado. E nos deixaram sozinhos, no submarino condenado. Sua ausência era coisa triste, lamento, canção fúnebre, sermão sem palavras. Mas agora voltavam... Quem sabe a esperança estava renascendo... E me alegrei.

Até que um amigo mais entendido dessas coisas me disse:

– Não é nada disso. Estão fugindo dos campos. Estão cobertos de mortes. Herbicidas, inseticidas, desfolhantes, fertilizantes...

Aí entendi o sermão que as rolinhas, os bem-te-vis, as coleirinhas e as corruíras estavam pregando. "O terror vem, o terror vem... Os campos são desertos verdes..."

Deserto verde. Ideia verde. Verde é cor que desde tempos imemoriais se associou ao oásis, à sombra, à água, à fruta. Onde está o verde, ali está a vida. Desertos, lugares de morte, eram vermelhos e amarelos. Não mais. As plantações de cana. Que vida dura e teimosa se atreverá a viver no seu meio? Talvez as formigas... E é assim, com todos aqueles campos verdes e belos, a perder de vista. Vão-se flora e fauna, aquela vida que a natureza levou milhões de anos para produzir. Definitivamente. Que inseto conseguirá sobreviver em meio a tantos pesticidas? E que semente de capim ou frutinha silvestre permanecerá para ser comida?

Poderão me acusar de sonhador romântico. Perder tempo com passarinhos, quando há tantas contas a pagar...

Creio em valores estéticos. Acho que a vida é esta coisa indefinível que se chama felicidade se fazem não só com as cifras da economia, mas frequentemente contra elas. Há coisas que não podem ser trocadas por dinheiro: a beleza das Sete Quedas, o mistério de uma mata, e as memórias e fantasias de pios de corujas, regatos cristalinos, praias limpas, e bichos que nunca vimos mas que, sabemos, são nossos irmãos e partes deste mistério magnífico que é o nosso mundo, nosso lar e nosso corpo.

Mas não é só romantismo. É instinto de sobrevivência. Os pássaros, no seu retorno, nos dizem que algo irremediável está sendo feito aos nossos próprios corpos. Sermão silencioso sobre a vida em fuga, em busca de um lugar...

E pensei que o sermão dos pássaros deveria ser meditado por aqueles que lidam com a Ciência e que levam os seus pensamentos da cabeça até os laboratórios. Porque é assim que as coisas andam, foi assim que a Ciência construiu este mundo promissor e terrível: dos pensamentos até os laboratórios, dos laboratórios até as fábricas, e das fábricas até os confins do mundo. Somos cúmplices, querendo ou não, naquilo de grandioso e horrendo que marca o nosso tempo e o nosso espaço. É fácil aceitar o prêmio. E para isso ninguém se desculpa. Mas aceitar a culpa é coisa que dói. E todos se esquivam.

O sermão dos pássaros é um lamento. Um *miserere litúrgico*. Talvez haja uma *mea-culpa* a ser dita. E é justamente aqui que se abre a esperança...

Saber e prazer

Ah! Nada tão puro e tão honesto quanto a dor e o prazer. É que aí o corpo fala sua linguagem mais profunda, universal e irrefutável. Pascal me permitindo, direi, numa paródia: "O corpo tem razões que a própria razão desconhece...". Que metafísica invocar contra uma cólica renal ou uma ridícula dor de dente? Que razões apresentar contra o prazer do sono ou as evidências do orgasmo? Nietzsche agiu com acerto: batizou o corpo com o nome de Grande Razão, por oposição àquela razão pequena e acessória, que parece residir dentro da caixa craniana.

Lembrei-me de Galileu. Claro que a Igreja não pode ser absolvida daquilo que ela lhe fez. Mas não se pode negar, por outro lado, que no final ele acabou por reencontrar a verdade. Pode ser que, no mundo abstrato dos que vivem nos laboratórios – longe da fome, dos campos de batalha, dos navios que afundam, das câmaras de tortura –, lugar onde o sofrimento não conta e só há assépticas equações matemáticas frias e indiferentes, sim, pode ser que lá o Sol seja o centro em torno do qual nós giramos. Mas quando Galileu, o homem Galileu, carne e osso, anteviu seu corpo em sofrimento, voltou-lhe a razão de quem quer viver, distante e diferente da razão dos que só pensam: é em volta do corpo que giram todos os sóis e planetas, em volta do corpo gira o Universo inteiro. Na verdade, quando a dor e o prazer estão em jogo e o corpo se dependura sobre o abismo, saber se o Sol gira em torno da Terra ou a Terra gira em torno do Sol nada mais é que uma questão fútil.

E por que não deveria ser assim? A inteligência é filha do corpo, é função do corpo. Volta-me a sabedoria visceral de Nietzsche: "Um instrumento do seu corpo é também a sua pequena razão, meu irmão, a que você dá o nome de 'espírito' – um pequeno instrumento e um brinquedo da sua Grande Razão...".

De fato, nada melhor que a dor para nos fazer recuperar o sentido das coisas que importam. Até a Nona Sinfonia fica diferente quando se está sofrendo de uma nevralgia do trigêmeo. Contaram-me de um indivíduo que, perfurado por essa dor que não passava, acabou por suicidar-se. Por amor ao corpo, a anestesia definitiva. Que convulsão cósmica acontece quando se descobre que em algum lugar invisível deste corpo se esconde um bicho que acabará por devorá-lo...

Que outra função o corpo poderia atribuir à inteligência, ferramenta e brinquedo, diferente de aumentar o prazer e diminuir a dor?

> O corpo diz para o seu eu: "Sinta dor aqui!" Então o eu sofre e pensa em como parar de sofrer – e é isto que o faz pensar. O corpo diz para o seu eu: "Sinta prazer aqui!" Então o eu sente prazer e pensa no que fazer para ter de novo o prazer – e é isto que o faz pensar... (Nietzsche)

Na verdade, parece que o pensamento surge com a dor. Para o pensamento, o estômago começa a existir no momento em que a azia aparece... Quando tudo vai bem não pensamos sobre as coisas; nós as usufruímos. Fernando Pessoa estava certo: "Pensar é estar doente dos olhos". Eu acrescentaria: doente do corpo inteiro. O deus da inteligência é o corpo. Sua única função é fazê-lo sobreviver, sobreviver com um sorriso...

Assim, a inteligência e qualquer Ciência que ela venha a produzir só podem ser avaliadas em função de sua relação com a vida. Os corpos ficam mais felizes? Suas possibilidades de sobrevivência como indivíduos e como espécie aumentam? Vejam os tubarões. Que sabedoria se encontra alojada de forma silenciosa e tranquila em seus corpos. Já me disseram há quantos milhões de anos existem. Me esqueci. Era muito tempo. Seremos tão sábios? Acreditamos que somos muito mais... Até nos batizamos como *Homo sapiens* – título de nobreza e presunção. No fundo afirmamos que as outras espécies padecem de certa estupidez: não escrevem livros nem fazem bombas. Tenho dúvidas. Tubarões, besouros, lagartixas, formigas... Todos eles carregam em silêncio, nos seus corpos, uma sabedoria, toda ela a serviço da sua sobrevivência...

A situação do *Homo sapiens* parece ser distinta. Ele é o único bicho em que o aumento do saber implica também um aumento das possibilidades de sua própria extinção. Que dizer de uma serpente que produz um veneno tão mortífero que ela mesma morre, pelo simples contato do líquido com a sua boca? Ou de uma borboleta que desenvolve asas tão enormes que não tem forças para batê-las? O corpo endoideceu. Fez uma coisa que decreta sua morte. A borboleta, se pudesse falar, preferiria asas bem pequenas. E a cobra iria ao dentista pedindo que se lhe arrancassem as presas. É mais arriscado andar com o veneno dentro da boca que ser comida por um gavião... Mas parece que o *Homo sapiens* não se comove com tais argumentos. O que indica que sua sabedoria é temperada por aguda dose de estupidez. O "progresso da Ciência" avança sem parar, ao sabor dos estímulos econômicos e militares. Mas não se pergunta se isso faz bem à vida. Via de regra a culpa é jogada sobre os políticos, que saem de tudo isso como os únicos vilões. A Ciência e a sua lógica continuam no pedestal...

Mas haverá coisa mais importante que o corpo? Todas as revoluções, todas as ordens sociais, quaisquer que sejam suas engrolações ideológicas, não devem ter como sua única finalidade fazer com que os corpos vivam, vivam mais felizes?

Às vezes penso que a Ciência se comporta como uma prostituta que reza silenciosamente, enquanto o outro faz aquilo para que pagou. Com a reza, que na Teologia da Ciência tem o nome de rigor metodológico, preserva-se a pureza do saber. Claro, as intenções são boas... Mas isso não altera o desfecho. O orgasmo é sempre daqueles que podem pagar a conta. Seria bom que a prostituta parasse com suas rezas e se convertesse do saber puro, saber pelo saber, aos sorrisos das crianças e à sobrevivência da vida. Afinal, se um pouco de inteligência nos sobra, temos de gritar, com Brecht, que "a única finalidade da Ciência é aliviar a miséria da condição humana".

Amor ao saber

Que me deem uma boa razão para que os jovens se apaixonem pela Ciência. Para isso seria necessário que os cientistas fossem também contadores de estórias, inventores de mitos, presenças mágicas em torno das quais se ajuntassem crianças e adolescentes, à semelhança do *flautista de Hamelin,* feiticeiro que tocava sua flauta encantada e os meninos o seguiam...

Todo início contém um evento mágico, um encontro de amor, um deslumbramento no olhar... É aí que nascem as grandes paixões, a dedicação às causas, a disciplina que põe asas na imaginação e faz os corpos voarem. Olho para os nossos estudantes, e não me parece que seja este o seu caso. E eles me dizem que os mitos não puderam ser ouvidos. O ruído da guerra e o barulho das moedas eram fortes demais. Quanto à flauta, parece que estava desafinada. O mais provável é que o flautista se tivesse esquecido da melodia...

Não, não se espantem. Mitos e magia não são coisas de mundos defuntos. E os mais lúcidos sabem disso, porque não se esqueceram de sonhar. Em 1932, Freud escreveu uma carta a Einstein que fazia uma estranha pergunta/afirmação: "Não será verdade que toda Ciência contém, em seus fundamentos, uma mitologia?". Dirão os senhores que não pode ser assim. Que mitologia é coisa da fantasia, de falsa consciência, de cabeça desregulada. Já a Ciência é fala de gente séria, pés no chão, olhos nas coisas, imaginação escrava da observação...

Pode ser. Mas muita gente pensa diferente. Primeiro amar, depois conhecer. Conhecer para poder amar. Porque, se se ama, os olhos e os pensamentos envolvem o objeto, como se fossem mãos, para colhê-lo. Pensamento a serviço do corpo, Ciência como genitais do desejo, para penetrar no objeto, para se dar ao objeto, para experimentar união, para o gozo. Lembram-se de Nietzsche? Pensamento, pequena razão, instrumento e brinquedo da grande razão, o corpo.

Sei que tais pensamentos são insólitos. E me perguntarão onde foi que os aprendi. Direi baixinho, por medo de anátema, que foi na leitura de minha Bíblia, coisa que ainda faço, hábitos de outrora. E naquele mundo estranho e de cabeça para baixo, como Pinóquio às avessas ou nas inversões do espelho das aventuras de Alice, conhecimento não é coisa de cabeça nem de pensamento. É coisa do corpo inteiro, dos rins, do coração, dos genitais. E diz lá, numa candura que tomamos por eufemismo, que "Adão conheceu sua mulher. E ela concebeu e pariu um filho". Conhecimento é coisa erótica, que engravida. Mas é preciso que o desejo faça o corpo se mover para o amor. Caso contrário, permanecem os olhos, impotentes e inúteis... Para conhecer é preciso primeiro amar.

E é esta a pergunta que estou fazendo: Que mágico, dentre nós, será capaz de conduzir o fogo do amor pela Ciência? Que estórias contamos para explicar a nossa dedicação? Que mitos celebramos que mostrem aos jovens o futuro que desejamos?

Ah! É isto. Parece que as utopias se foram. Ciência e cientistas já não sabem mais falar sobre esperanças. Só lhes resta mergulhar nos detalhes do projeto de pesquisa, financiamentos, organização – porque as visões que despertam o amor e os símbolos que fazem sonhar desapareceram no ar, como bolhas de sabão. Especialistas que conhecem cada vez mais de cada vez menos têm medo de falar sobre mundos que só existem no desejo.

Claro que não foi sempre assim. Houve tempo em que o cientista era ser alado, imaginação selvagem, que explicava às crianças e aos jovens os gestos de suas mãos e os movimentos do seu pensamento, apontando para um novo mundo que se anunciava no horizonte. Terra sem males, a natureza a serviço dos homens, o fim da dor, a expansão da compreensão, o domínio da justiça. Claro, o saber iria tornar os homens mais tolerantes. Compreenderiam o absurdo da violência. Deixariam de lado o instrumento de tortura pela persuasão suave do ensino. Os campos ficariam mais gordos e perfumados. As máquinas libertariam os corpos para o brinquedo e o amor. E os exércitos progressivamente seriam desativados, porque mais vale o saber que o poder. As espadas seriam transformadas em arados e as lanças em podadeiras. Realização do sonho do profeta Isaías, de harmonia entre bichos, coisas e pessoas.

Interessante. Esses eram mitos que diziam de amor, harmonia, felicidade, essas coisas que fazem bem à vida e invocam sorrisos. Quem não se alistaria como sacerdote de tão bela esperança?

Foram-se os mitos do amor.

Restaram os mitos do poder.

As guerras entre os mundos, os holocaustos nucleares, os super-heróis de cara feia, punhos cerrados e poder imbatível. Ah! Quem poderia pensar num deles jogando bolinha de gude, ou soprando bolhas de sabão, ou fazendo amor? Certamente que bolas, bolhas e corpos se estraçalhariam ante o impacto do poder. Não é por acidente que isso aconteceu. É que a Ciência, de realizadora do desejo, metamorfoseou-se em aliada da espada e do dinheiro. Os cientistas protestarão, é claro, lavando suas mãos de sangue ou de lucro. E com razão. Mas este não é o problema. É que a Ciência é coisa cara demais e o desejo, pobre demais. E, na vida real, as princesas caras não se casam com plebeus sem dinheiro. A Ciência mudou de lugar. E, com isso, mudaram-se também os mitos.

Que estórias contaremos para fazer nossas crianças e nossos jovens amar o futuro que a Ciência lhes oferece?

Falaremos sobre o fascínio das usinas nucleares?

Quem sabe os levaremos a visitar Cubatão... Protestarão de novo, dizendo que não é Ciência. Como não? Cubatão não será filha, ainda que bastarda, da Química, da Física, da Tecnologia, em seu casamento com a Política e a Economia?

Poderemos fazer um passeio de barco no Tietê. Sei que não foi intenção da Ciência, sei que não foi planejado pelos cientistas. Mas ele é um sinal, aperitivo, amostra, do mundo do futuro. De fato, o futuro será chocante. Só que não da forma como Toffler pensa.

Parece que só nos resta o recurso ao embuste e à mentira, dos mitos da Terceira Onda. Mas como levar a sério um mito sorridente que não chora ante a ameaça da guerra? "Se um cego guiar outro cego, cairão ambos na cova..."

Que me deem uma boa razão para que os jovens se apaixonem pela Ciência. Sem isso, a parafernália educacional permanecerá flácida e impotente. Porque sem uma grande paixão não existe conhecimento.

A lâmina da guilhotina

Quem teve o nariz treinado para sentir o cheiro das coisas sagradas espanta-se sempre com aquele indisfarçável odor de coisas religiosas que se desprende dos gestos e das falas dos festivais da Ciência. Ali há lugar para os mais variados gostos litúrgicos, desde os sacerdotes do saber, em seus momentos mais solenes, vestes talares multicoloridas, até as "ordens mendicantes", avessas a cores e perfumes oficiais, e identificadas por roupas e gestos diferentes, em ambos os casos símbolos de realidades invisíveis aos olhos dos não iniciados. Os rituais esotéricos são sucedidos pelas celebrações da "religiosidade popular", em que o corpo sacerdotal, Teólogos, Profetas e Ordens de todos os tipos se misturam com os neófitos, na mesma explosão de entusiasmo científico, atmosfera de romaria, em que o que está em jogo não é a verdade fria das galáxias ou células, mas um certo fervor que faz com que todos se reconheçam como membros de uma mesma procissão de saber...

São as celebrações rituais dos mitos inaugurais da Ciência. E se a coisa tem o jeito de religião é porque a Ciência começou como uma nova religião, em que uma classe sacerdotal de roupa preta foi derrotada por uma classe sacerdotal de roupa branca. O que se pretendia não era o fim da religião, mas uma religião melhor; não o ateísmo, mas uma contemplação mais direta dos mistérios da divindade.

Parece, por exemplo, que este foi o caso de Copérnico, que colocou o Sol no centro dos planetas, em lugar da Terra, não movido pelo peso das evidências empíricas, mas comovido pelos argumentos da estética e da elegância geométricas: Deus, geômetra/esteta, não poderia ter feito um sistema de astros tão feio e de pé quebrado como aquele de Ptolomeu. Com o Sol no centro fica tudo mais bonito e é até mais fácil louvar a Deus, pois a alma fica mais leve e feliz quando o Universo fica mais fácil de se compreender. Coisa semelhante aconteceu com Kepler, que se pôs a procurar as leis que regiam o movimento dos planetas. Não é que ele se interessasse por precisões matemáticas. Acontece que ele desejava ouvir as melodias que o Todo-Poderoso, músico dos músicos, havia colocado no espaço. E ele sabia que pela mediação dos números era possível chegar até os sons. E até deu o nome de *Harmonia dos Mundos* ao seu livro, o que o coloca mais na biblioteca dos músicos que na dos físicos, pois harmonia tem a ver com notas e acordes...

A Ciência começou como coisa alegre e bonita. Daí o deslumbramento que produziu. Mas esses primeiros cientistas eram precursores modestos de prodígios ainda por vir. Nem de longe imaginavam que as coisas que diziam sobre os céus poderiam, um dia, fazer diferenças sobre a terra...

Mas logo a alegria aumentou. Ao prazer da contemplação se juntou a volúpia da magia. O jeito novo de ver virou jeito novo de fazer. Das equações matemáticas começaram a saltar máquinas. E se percebeu que a Ciência fazia bem não apenas para a cabeça mas também para o corpo. Uma máquina é um braço que deixa descansar o braço. Sobraria mais tempo para o prazer. E a Ciência apareceu como um deus encarnado: poder para transformar os desejos em realidade. Os céus baixam à terra. O paraíso sai do passado e se coloca no futuro. "Não importa o que a princípio tenha sido", dizia Priestley. "O fim será glorioso e paradisíaco... Os homens prolongarão os dias de suas vidas e ficarão cada vez mais felizes...". Completa-se a transformação teológica. A Salvação é possível. Os homens podem ser felizes. Não pelo poder dos Sacramentos mas pela expansão do saber. E aquilo que a religião velha colocava depois da morte, a Ciência trouxe para a vida, só que um pouquinho para o futuro... Nas palavras de Diderot, "a posteridade é, para o homem de saber, aquilo que o outro mundo é para o homem religioso".

E todos ergueram suas taças ao futuro. Não, não se converteram à Ciência apenas para terem um novo método de conhecimento e investigação. É que acreditavam que a investigação e o conhecimento vinham grávidos de esperanças. E era por este filho prometido que se faziam brindes: o progresso da Ciência traria consigo a expansão da felicidade. E da bondade, é claro. O corpo tinha razões para se alegrar. Finalmente a dor seria conquistada e o prazer reinaria, supremo.

E é essa esperança que é ainda celebrada nos festivais da Ciência. Só que alguma coisa aconteceu. As esperanças abortaram, os deuses morreram. Ficaram os rituais, cascas de uma vida que se foi, como aquelas que as cigarras deixam, grudadas nos troncos das árvores. As liturgias preservam os risos do nascimento. E não nos damos conta de que a criança envelheceu antes do tempo e morreu. A Ciência, prostituta sem moral, gera filhos com a Vida e gera monstros com a

Morte. As guerras do Vietnã, das Malvinas, do Golfo, da antiga Iugoslávia, da Chechênia – e quantos genocídios possa haver – tudo se faz cientificamente. Se juntarmos tudo de horrível que culturas pré-científicas produziram, nada se compara, em terror, à possibilidade de aniquilação da vida, como resultado do desenvolvimento científico da tecnologia da morte.

Chamarão minha atenção para os benefícios laterais. O que me faz lembrar o condenado à guilhotina que, perante a lâmina bela e eficaz, amaldiçoou aquele que a havia construído. Mas o carrasco o chamou de volta à razão, lembrando-lhe que suas lâminas de barbear haviam sido feitas com o mesmo aço. Reconheço os benefícios. Mas eles não me consolam, perante a lâmina. Preferiria que minha barba tivesse crescido... Ou alegarão que tudo não passa de um grande equívoco, culpa dos políticos e militares, gente de fora da Ciência. Mas a Ciência se entregou, meretriz sorridente, e no seu ventre/laboratório cresceram as armas bacteriológicas, químicas e atômicas...

Existe outra possibilidade que quase ninguém se atreve a mencionar. De que haja um erro na própria Ciência. De que ela não seja aquilo que dela sempre se disse. De que ela não seja aliada do corpo e do prazer não por acidente ou equívoco, mas por destino...

Exorcizar os fantasmas da morte e do sofrimento é o que se faz, sem cessar, nas liturgias da Ciência. Mas tudo continua na mesma. Continuamos a recitar a mesma Teologia... Conhecimento novo é sempre bom. Que se multiplique. Que as pesquisas avancem. Como se o problema estivesse em nossa falta de conhecimento: com um pouquinho mais as coisas se resolverão. Mas é bem provável que a verdade seja o oposto. Nossos problemas não decorrem de nossa falta de conhecimento mas antes do seu excesso.

Mas esta é a heresia das heresias. Afirmar tal coisa é entristecer as liturgias. Acontece que somos por demais devotos... Como o eram os sacerdotes de vestes pretas, quando o seu fim se aproximava.

A verdade do espelho

Gosto de ver figuras. Faz bem à imaginação. Levam-me por mundos já perdidos, passados, estranhos... E a fantasia, encantada pelo mistério dos rostos, dos gestos, dos cenários, põe-se a voar. Fiquei muito tempo olhando uma gravura do século XV. Ainda está aqui, aberta à minha frente, em vermelho, verde, preto, amarelo e branco. Aula de anatomia. Sobre uma mesa de madeira, o cadáver. Um barbeiro, especialista da navalha, faz os cortes necessários. O corpo se abre sob seu instrumento.

Os alunos, a se julgar pelos olhos, não estão entusiasmados. Alguns olham beatificamente para cima. Talvez estejam vendo algum anjo esvoaçante. Outros, olhar perdido, longe do cadáver, que deve cheirar mal. No centro, elevado em púlpito e distante da coisa, o catedrático, dizendo os conhecimentos anatômicos da época. Repetia a Ciência de Galeno, médico grego, do século II, papa da Medicina por cerca de 1.400 anos. O fascinante é pensar que, naqueles tempos, quando as evidências da navalha do barbeiro colidiam com as teorias de Galeno, quem perdia era o barbeiro. Galeno ganhava sempre. É que não se acreditava que as coisas, no seu mutismo, pudessem ser mais sábias que os homens. O conhecimento se encontrava em livros, e nunca na natureza...

Agora se explica por que é que era o barbeiro, e não o professor, que cortava o corpo: afinal de contas, aquele trabalho não faria diferença alguma, fosse qual fosse o desenrolar das dissecações. E se explica também o olhar perdido dos alunos. Por que olhar para um morto malcheiroso, se a verdade já estava dita num livro? Era muito mais importante a lição do mestre do que a lição das coisas...

Imaginem agora uma outra tela mais louca do que esta, em que o cadáver se põe a falar, e não apenas o morto como também todas as coisas até então silenciosas, estrelas, pedras, ar, água... E os alunos, talvez possuídos de loucura, subvertem a ordem do saber, esquecem-se das lições de antigamente, obrigam os mestres a se calarem, e se põem a ouvir vozes que ninguém ouve, só eles, as vozes das coisas...

Esta, eu imagino, seria uma tela digna da imaginação fantástica de Bosch ou, quem sabe, do surrealismo de Salvador Dalí. Mas não é nada disso. Porque seria assim que teríamos de nos representar aquilo que aconteceu quando Galileu fez a sua revolução, inaugurando a Ciência Moderna, e declarando que era necessário mudar de livro-texto. Aprender a ler a escrita enigmática da natureza. Pensávamos que fosse muda, quem sabe burra... Mas nós é que éramos analfabetos. Não entendíamos a sua escrita. E nasceu então o fascínio de ser cientista: decifrador de enigmas. A natureza diz as suas coisas em linguagem que o comum das pessoas não entende, e o cientista trata de traduzir a língua estrangeira em língua conhecida. Intérprete. Tradutor. De si mesmo, nada tem a dizer – como convém àquele que traduz e interpreta com honestidade. Sente-se feliz por só dizer o segredo que o objeto lhe contou. E até inventaram um nome com que batizaram essa devoção ética e epistemológica do cientista: objetividade. O sujeito se cala para que sua voz nada mais seja do que a voz da natureza.

Como se ele, cientista, se esvaziasse de tudo e jurasse que nada que sai de sua boca é invenção dos seus desejos ou produto da sua imaginação. Também para isso inventaram um nome, e disseram que o cientista é *value-free*, não deformado por valores ou preferências. Não, não me entendam mal. Dependendo da situação, esse nome pode ser confundido com xingamento: amoralidade, imoralidade, ausência de escrúpulos... Mas, em outras situações, não há nada mais importante que isso. Como no tribunal, em que a testemunha deve jurar dizer a verdade, toda a verdade, nada mais que a verdade, ainda que ela deteste o réu. Ah! Como o réu se sentirá feliz por saber que a testemunha não irá inventar nada, só porque ele é homossexual, ou comunista, ou da TFP... Há situações em que a neutralidade é uma virtude. E foi assim que disseram também que a Ciência tinha de ser neutra: vale somente aquilo que a natureza disse, sem se levar em conta o interesse de ninguém.

Vejam o caso paradigmático do espelho da madrasta da Branca de Neve. Existirá, por acaso, coisa mais frágil do que um espelho?

Com que facilidade ele pode ser reduzido a cacos...

A prudência dizia que o caminho mais seguro era continuar dizendo à rainha malvada as coisas que ela gostava de ouvir. Mas o tal espelho, talvez iniciado na moralidade neutra e livre de valores da Ciência, insistia em só dizer a verdade. Tanto assim que, quando Branca de Neve ficou mais bonita do que a madrasta, não teve dúvidas. Correndo o risco de ser reduzido a cacos, disse tudo... O pobre espelho não pode ser responsabilizado pelo plano sinistro que a rainha arquitetou para matar a menina. Felizmente, o caçador, não educado segundo a ética da neutralidade e da liberdade de valores, inventou uma mentira benevolente que todos aprovamos e que era, naquela ocasião, a melhor coisa que se podia fazer para salvar uma vida. A menina continuaria vivendo feliz com os anõezinhos, não fora a pertinaz estupidez do espelho que só sabia dizer a verdade, em virtude de seu rigorismo ético. Logo na primeira vez que a madrasta o procurou, o espelho amoral mas muito sabido, e acometido de esclerodactilia, dedou que a Branca de Neve continuava viva e até forneceu o seu endereço para a rainha. Se fosse hoje, é certo que ele seria empregado dos serviços de inteligência. O resto, todos conhecemos.

O espelho teria acertado se, cruzando os dedos, tivesse contado uma mentira. E isso por uma razão muito simples: a verdade pode ser colocada a serviço da morte.

Também a morte ama o saber. Também a morte protege a Ciência... A corrida armamentista... Se tivesse mentido, o espelho teria sido sábio. Teria compreendido que a verdade tem de estar a serviço da bondade. Será possível manter-se livre de valores quando se enfrenta a morte? Ou neutro, quando a vida está em jogo? Talvez a comunidade científica deva compreender que chegou o momento de se fazer algo como o juramento de Hipócrates. Se quem lida com o corpo deve jurar lealdade à vida, por que não os outros cientistas? Afinal de contas, a natureza inteira é uma extensão do nosso corpo... Foi bom que tivessem aprendido a entender a voz da natureza. Mas é necessário entender que nem tudo o que se ouve deve ser repetido. Especialmente se é a madrasta da Branca de Neve quem faz a pergunta...

O que as ovelhas dizem dos lobos

Eu gosto de contar estórias. É que elas dizem o que têm a dizer de forma curta e descomplicada. Não precisam de muitas explicações. E qualquer um entende. Isto, além de se darem ao luxo de permitir que se junte uma pitada de humor ao que se conta. O que provoca o riso numa das partes da torcida, que irá repeti-las muitas vezes dali para a frente... Uma boa risada vale mais que muitos argumentos. A outra parte, é claro, vai ficar danada da vida, como o rei que se descobriu de cuecas no meio da parada... E aqui vai mais uma...

"Muitos anos atrás um cordeiro, totalmente comprometido com o ideal do conhecimento objetivo, decidiu que já era tempo de se descobrir a verdade sobre os lobos. Até aquele momento só ouvira estórias escabrosas, sempre contadas por testemunhas suspeitas, gente que tinha preconceito contra os pobres bichos. Quem eram os lobos? Ele decidiu que, para se ter a verdade, seria necessário abandonar, como indignos de confiança, os testemunhos de terceiros.

Ninguém conhecia os lobos melhor que os lobos. Que se fosse diretamente a eles. O cordeiro escreveu então uma carta a um filósofo-lobo com uma questão simples e direta: 'O que são os lobos?' O filósofo-lobo respondeu imediatamente, como convém a alguém que pertence à comunidade do saber. E disse tudo. As formas dos lobos, tamanhos, cores, hábitos sociais, tendências estéticas... Vez por outra ele parava para pensar se a cozinha dos lobos e suas predileções alimentares eram questões de interesse filosófico e ontológico. E sempre riscava a primeira linha do relatório. Afinal de contas, ele dizia, os hábitos alimentares dos lobos são acidentais, culturalmente condicionados. Não pertencem à nossa essência. O cordeiro, ao receber a carta, deu pulos de alegria. Ele estava certo. Quantas mentiras tinham sido espalhadas acerca dos lobos. Mas, agora, testemunha de primeira mão, sabia finalmente quem eram os lobos, almas irmãs, animais de carne e osso neste mundo de Deus. E até resolveu visitar o lobo, para debates filosóficos face a face. E foi só então que ele aprendeu, tarde demais, que alguma coisa não fora dita no relato do lobo. Ah! Faltavam informações sobre os seus hábitos alimentares. Descobrira agora, de forma final e irremediável, que, para um cordeiro, um lobo é, antes de mais nada, um bicho cuja comida favorita é churrasco de cordeiro..."

Toda estória tem uma moral... A desta é muito simples: se você quiser saber quem são os lobos, não pergunte a eles. É mais seguro acreditar nos cordeiros.

Essa moral não é novidade. É sabedoria velha, a "arte da desconfiança". Não me entendam mal. Não estou denegrindo a moral dos lobos. Nem estou dizendo que eles têm más intenções. O problema é pior. Na realidade eles não possuem alternativas. Os lobos estão condenados a ver o mundo como lobos... Maneira única de ver o universo, metafísica própria, ontologia singular: os deuses são sempre lobos e cordeiros, por ordenação divina, estão destinados (oh!, nobre vocação!) a serem comidos pelos lobos... Não adianta aos lobos expandir a sua ciência: os resultados confirmarão sempre a sua hipótese de trabalho. E é por isso que é necessário ouvir o outro lado, as vítimas...

Para minha surpresa, quando contei essa estória pela primeira vez, a aplicação de sua moral provocou um inesperado tumulto e protestos indignados. Vou explicar. Tudo aconteceu numa reunião internacional em que cientistas, técnicos, estudantes e representantes de credos religiosos se reuniram para conversar sobre o futuro incerto deste belo mundo em que vivemos. E, como não poderia deixar de ser, especialmente considerando-se o lugar, o MIT, santuário da técnica, a coisa começou com uma fala sobre a Ciência. Discurso lindo, gerado em observatório astronômico, no êxtase da contemplação de galáxias distantes, vistas e pensadas em meio à abundância de Ciência de observatório de país rico, protegido das coisas mesquinhas e efêmeras da Terra. Ah! Como é belo e tranquilizante contemplar o Universo, impassível e misterioso... Também eu amo os céus estrelados e, se pudesse, trataria de fazer algo para que a meninada de nossas escolas aprendesse a ouvir as vozes do firmamento. Elas nos fazem mais modestos e humildes. Talvez mais sábios. Mas o problema apareceu justamente aí: aquele homem astrônomo, íntegro no seu trabalho, apaixonado pelo seu saber, acima dos demais mortais, estava condenado a falar sobre a Ciência a partir da beleza pura de sua bolha de sabão. E suas palavras foram descrevendo a Ciência, maravilhosa e livre de enganos, pura de más intenções, madona virginal, ser angelical... Nenhuma palavra sobre os seus hábitos alimentares...

E foi aqui que apareceu o desdobramento perverso da primeira parte da moral da estória. Se você quiser saber quem são os lobos, não pergunte a eles. É mais seguro acreditar nos cordeiros. Se você quiser saber o que é a Ciência, não pergunte aos cientistas. Pergunte às vítimas...

Foi então que o pandemônio se estabeleceu. Claro que me assustei. Porque pensei que não estava dizendo nada de insólito. Tratava-se apenas de uma pequena pitada de sabedoria que não inventei, coisa já velha, que tem a ver com a teoria das ideologias e com a psicanálise, para não nos referirmos a textos sagrados milenares, que dizem que devemos prestar pouca atenção àquilo que as pessoas dizem e observar com atenção o que elas fazem. Pobre cordeiro: se tivesse sabido disso, não teria virado churrasco... O que ofendeu a todos foi imaginar que a Ciência pudesse ter hábitos alimentares...

Todos concordam em que, para se conhecer a polícia, é preciso não levar muito a sério as declarações oficiais que seus altos funcionários produzem. É necessário ouvir a fala dos que sofreram por equívocos e não equívocos. E se se deseja saber sobre os bancos, será sábio não acreditar nos comerciais de televisão, com xícaras de café e gerentes sorridentes, chaves mágicas e Celebrações de Ações de Graças. Há outras estórias para serem contadas. E se se deseja saber sobre as instituições religiosas, que se procurem, do outro lado de suas Celebrações, os testemunhos dos equívocos, das intolerâncias e das inquisições... Isso é procedimento científico que vale para todas as instituições. Seria ridículo que a Ciência apenas não quisesse aplicar a si mesma a "arte da desconfiança" que ela aplica, como cirurgião, sobre as outras instituições. Afinal de contas, a receita do purgante é dela mesma. Que ela não tenha medo da cura que ela mesma receita.

A Imaculada Conceição

Não fui feliz numa imagem que usei. Tanto assim que muita gente reclamou. Eu disse que a Ciência se parecia com uma meretriz... Claro, tratava-se de uma figura de linguagem. Metáfora, quase poesia... É que eu me havia lembrado dos tempos da pureza, quando o saber nascia diretamente do amor. Cientistas, artesãos solitários que faziam seus próprios instrumentos, sem esperar pagamento e sem contar com financiamentos, pelo puro fascínio da descoberta. Mas tudo mudou. O brinquedo de fundo de quintal virou mágica poderosa que pode fazer coisas de matar e coisas de vender, coisas para dominar e coisas para ficar rico. De dentro da barriga do saber pulou o poder.

E aí a Ciência ficou importante. Apareceram os protetores solícitos para a virgem vacilante. Foi trasladada para casas apropriadas, laboratórios caros e belos, que nenhum cientista poderia jamais comprar, se não fosse a bondade dos protetores. Não é de se estranhar, portanto, que a produção do saber tenha estado ocorrendo nos ninhos construídos pelo poder. Para que os ovos possam ser colhidos, é lógico. Saber para quem não pode pagar o preço da gestação é coisa difícil de ser pensada.

Daí que os moradores da favela de Canta Galo, por mais que o desejem, não podem transformar em pesquisa científica os seus desejos. Pesam somente os desejos dos que podem pagar a conta. Foram considerações como estas que me sugeriram a metáfora da meretriz, que tantas reações provocou de filhos indignados e maridos ofendidos...

Mas eu me apresso a me corrigir. Deixar de lado meus palpites e permitir que a Ciência mesma nos conte de suas metáforas. Fui lá nos textos, nas genealogias, e descobri que não há lugar para mulheres de má fama. Se na genealogia de Jesus Cristo a gente pode topar com uma prostituta, Rahab, o mesmo não acontece entre os ancestrais do saber científico. Mais puritana que qualquer ordem monástica, na árvore genealógica da Ciência tudo ocorre pelo milagre da Imaculada Conceição. Assim, ao invés de meretrizes, as figuras angelicais de madonas virginais e puras, que geram seus filhos sem prazer e sem pecado, pela ereção do pensamento e não pelo calor da paixão, segundo a receita do bispo de Hipona, tudo imaculadamente asséptico e cerebral, a verdade e a bondade fluindo sem parar dos seus seios generosos. Claro que a *Pietà* não se encontra entre as madonas/metáforas, porque a suavidade do seu rosto e a beleza das linhas do seu corpo trazem à mente pensamentos que são proibidos a qualquer puritano. Preferíveis as virgens triangulares e piramidais, sem corpo e geométricas, mais próximas da matemática que do prazer.

Se existe algum problema, ele vem de fora, e não de dentro. Como poderia ser de outra forma, dadas as relações edípicas ideais que se anunciam? São os outros, os que beberam do leite mágico da deusa, os que não se privaram dos seus seios, os demais mortais... Ah! Como seria belo o mundo sem eles. Que me perdoem. Não sou eu quem diz. É James Clark Maxwell, ilustre professor de física teórica, em aula inaugural na Universidade de Cambridge, pronunciando palavras que, se não me engano, não foram até hoje recebidas com nenhuma pitada de indignação por parte dos cientistas, ao contrário da minha modesta metáfora. É curioso como as pessoas não se ruborizam de ser comparadas aos deuses... Refere-se o mencionado físico, com toda a seriedade de que é capaz, à família dos bastardos, externa ao convívio com a madona, como gente que "vive mergulhada nos estágios mais violentamente emocionais de ira e paixão, malícia e inveja, fúria e loucura", por oposição aos cientistas que "com alegria retornam à companhia daqueles homens ilustres que, por aspirar a fins nobres, tanto intelectuais quanto práticos, se elevaram acima da região das tempestades, numa atmosfera mais clara, onde não existe nenhuma representação equivocada de opinião nem ambiguidade de expressão, mas onde a mente entra em contato mais íntimo com a outra, no ponto em que ambas estão mais próximas da verdade". É óbvio que, de uma forma discreta e elegante, como pertence aos ingleses, são os outros que estão sendo chamados de descendentes da senhora impura...

Pensarão os senhores que estou entrando num terreno perigoso e feio. Mas a briga é muito velha. Sob a forma de xingamento, a primeira vez que a encontrei foi numa escaramuça entre Lutero e Erasmo. Todo mundo que já leu um pouquinho de literatura do século XVI sabe que o reformador protestante chamou a razão de prostituta. Poucos sabem, entretanto, que a coisa não foi gratuita. É que Erasmo, adversário, cultivador de Platão, havia feito ofensa semelhante contra o corpo, chamando-o inicialmente pelo mesmo nome. A partir disso é fácil traçar a genealogia dos dois lados. Erasmo vai a Platão, e sua linha irá costurar, num único colar, todos os adeptos do dogma da Imaculada Conceição do conhecimento, Descartes, os empiristas ingleses, Kant, os positivistas e neopositivistas, e um punhado de filósofos da Ciência. Já de Lutero a linha irá passar pelos românticos existencialistas, Nietzsche e Freud. E os senhores me perguntarão: "Afinal de contas, qual é o motivo da briga?". O motivo da briga são os pensamentos que devam ser pensados. Isto é importante. Porque os pensamentos sugerem mundos e é por essas pistas que o corpo se embrenha.

A ofensa que minha imagem causou estava na sugestão silenciosa de que havia pensamentos, no mundo da Ciência, contaminados por um corpo não muito puro. Mas isso é uma heresia que a Teologia puritana da Ciência não pode aceitar. Outros, ao contrário, sugerem que só são dignos de confiança os pensamentos que têm a marca do corpo. Preferível a prostituta à virgem piramidal. Eu até invocaria um texto das Sagradas Escrituras em minha defesa: "As meretrizes entrarão no reino dos céus antes de vós...".

O que não se percebe é que a pureza nem sempre é boa para a sobrevivência. Poderá haver objeto mais belo para a razão pura descarnada que um artefato militar? A elegância de suas linhas, a precisão de suas fórmulas, a previsibilidade dos seus resultados fazem dele um jogo de xadrez maravilhoso para o cérebro que se libertou do corpo, que apenas pensa...

O que há de belo na prostituta é que o amor pode ser a sua salvação.

O que há de trágico na virgem é que o amor é a sua perdição. Não é raro que a virgem, por amor à pureza, prefira a morte. Será este o caso da Ciência?

“Não era esta a mágica que eu queria”

Acho que não sou só eu. Muita gente tem vontade igual, de conversar com o presidente. O que eu quero é coisa muito simples: só prosear. Não faria nenhuma pergunta, como naquele programa de televisão. As respostas me deixam no mesmo lugar e nunca sei o que fazer com elas. Também não tenho nada a pedir. Sei que ninguém é Deus... E nem tenho conselhos para oferecer. E mesmo se tivesse, ficaria quieto. Conselhos são inúteis. Só queria prosear, ir dizendo as palavras, como se fossem baforadas de cigarro de palha, sem querer provar nada...

De uma coisa eu sei: não começaria com as manchetes de hoje, nem com as de ontem. Prefiro buscar as linhas para minhas costuras em lugares mais distantes. E não sei por que, me veio a estranha ideia de começar falando de Nosso Senhor Jesus Cristo, nome que traz mansidão, bom início de proseios, perante quem civis e militares ficam devotos respeitosos, chapéu na mão e voz baixa. Pensei naqueles quarenta dias no deserto, sem comer. E a fome era terrível. Ah! Já sei, foi por isso. Também nós, com medo da fome. Me lembro dos tempos de menino, quando o dinheiro acabava e a gente se punha a raspar fundo de bolsa velha esquecida em canto de armário e a escarafunchar bolsos de paletós dependurados, na esperança de encontrar alguma moeda esquecida... Assim estamos também nós, raspando tudo, de garimpo de ouro à venda de armas, para ver se pagamos as contas e se o padeiro e o açougueiro não cortam o fornecimento.

O medo da fome é coisa séria. E foi aí que o Diabo atacou, preciso:

– Dize a estas pedras que se transformem em pães.

Bem que gostaríamos de conhecer o segredo. Se há uma receita mágica que seria bem recebida neste momento é esta... Mas o espanto está na resposta do Filho de Deus, que afirmou, tranquilo:

– De fato, o pão acabou e a fome é grande. Mas ainda tenho, no meu farnel, muitas palavras. Elas são gostosas e fazem bem ao corpo. Será que você aceita uma?

Não, ele não estava fora de juízo pela solidão ou pela fraqueza. O corpo é coisa encantada que precisa mais que comida e bebida para viver. Ele precisa de palavras. Porque é nelas que mora a esperança.

Li de uma pesquisa que fizeram com doentes terminais, sem escapatória, condenados a morrer. Primeiro, a notícia. Com ela, a revolta: não, não pode ser. E a busca louca de qualquer sinal de esperança: plantas mágicas, curandeiros, rezações... E a luta se trava, feroz. Até que o corpo, murchando e definhando aos poucos, vai dizendo sua inapelável verdade. Chega, finalmente, o momento do reconhecimento. Nada existe para ser feito. Morre a esperança e, com isso, chega uma tranquila beleza, a beleza do irremediável, o tranquilo desespero dos que sabem que é inútil lutar.

É assim. Enquanto há esperança existe luta.

Depois, quando ela se vai, a paz. Cheiro de morte antes da hora, anunciando-se no corpo ainda vivo. Decomposição... Quem me contou isso pela primeira vez foi Fernando Pessoa, num verso que não consigo repetir com exatidão: "Gozo a paz daqueles que já perderam a esperança".

Espantei-me. Mas logo compreendi. É assim mesmo. Há também uma outra possibilidade. Já que tudo é inútil, todos os gestos de amor, todos os sonhos, todas as sementes plantadas; é, já que tudo é inútil, por que não a fúria louca da violência que destrói por destruir, mata por matar? Como se o louco estivesse dizendo: "Um mundo que não pode acolher o meu amor não tem o direito de sobreviver...".

Aí, no meio desta prosa que vem de grandes lonjuras, depois de uma baforada de cigarro de palha, como quem sabe e não entende, poderíamos perguntar se política não é justamente isso, tomar conta das esperanças, cuidar das palavras que fazem bem ao corpo... Bonito título este, para um político que não existe, político que todo mundo espera, sem nunca encontrar: pastor de esperanças... Esperança é coisa que só sobrevive no amor à coisa que se deseja, do fundo do coração. Porque ter esperança é nada mais que aquele preparar do corpo para o encontro com o objeto desejado... Antecipação do gozo e da felicidade. Por isso que ela é boa para comer, palavra que transforma o pão em sacramento...

Pensei, então, no que aconteceu com o desejo, na fala dos políticos. Parece que sumiu... Ao que meu interlocutor me interromperia, para dizer que não é bem assim, que tudo que se faz é para o bem do povo. E eu perguntaria, então, das razões por que nos corredores dos palácios só andam os especialistas em poder, sejam os fardados, sejam os economistas, sejam os técnicos. Poetas, não os vejo em lugar algum. Intérpretes de sonhos, muito menos. Não é de se estranhar que o único que o Faraó pôde encontrar, para dizer-lhe dos seus sonhos, estivesse no calabouço, um tal de José. Enganam-se os políticos quando se desculpam perante o povo por não terem poder que chegue. Mal sabem eles que o que se teme, às vezes, é que o poder funcione. Pensei em final tragicômico para aquela estória, princesa linda perante príncipe sapo. E ela pede ao bruxo o grande milagre. Ergue-se a varinha mágica, explode tudo no turbilhão de cores. E lá está, a pobre princesa, transformada em sapa. E seu comentário triste, antes do mergulho definitivo nas águas do charco: "A mágica foi muito boa. Só que não era bem isto que eu queria...". É, o poder não basta. É preciso o amor. O povo pode muito bem perdoar um governante fraco. O que ele não pode perdoar é um governante que não ame as mesmas coisas que ele ama.

Não foi exatamente isto que aconteceu? As Sete Quedas, que mágica formidável. Elas desapareceram para nunca mais serem encontradas. Sobrou o poder. Mas faltou o amor. Porque o povo não queria. Ele chorou. Lembrei-me também de Contagem, cidade de Minas, que preferiu o ar puro a uma fábrica de cimento. Mas os magos de outro lugar decidiram o contrário, sacrificaram o desejo no altar do poder. A fábrica foi reaberta à força. Depois, vejo aquela construção sinistra, lá em Angra, uma tal de Usina Nuclear. Gostaria de saber se o povo quer, se ele sonha com ela e sorri quando o seu nome é pronunciado. Falamos também do nosso progresso nas artes da guerra, a tecnologia das armas, coisa que dá lucros e ajuda a pagar as contas. E pergunto, de novo, se é isto que representa o desejo... Parece que no farnel dos que mandam os únicos desejos que sobraram são os desejos de lucrar e de continuar no poder...

São estas coisas que vão dizendo que tudo é inútil. Afinal, que chance tem o desejo fraco diante do poder forte? Ali, bem pertinho da minha casa, vai se travando uma batalha. Homens de boca cheia falam em nome do governo e invocam milhões. Querem matar o bicudo, praga do algodão, para que o lucro continue. Outros, fracos, falam do seu medo, do desejo de viver, da importância das vidas. Relembram que o veneno é forte, que há perigo. Mas o poder só encolhe os ombros...

É, o pão acabou. E também não temos palavras de esperança que nos mantenham vivos no deserto. Começa o cheiro da decomposição...

5
AS ESCOLAS

Entre os problemas da cultura moderna a escola é o único que levo a sério e que eventualmente me interessa.

Hermann Hesse

Aprendendo das cozinheiras

A se acreditar em entendidos em coisas de outros mundos, já devo ter sido cozinheiro em alguma vida passada. É que tenho um fascínio enorme pelas panelas, pelo fogo, pelos temperos e por toda a bruxaria que acontece nas cozinhas, para a produção das coisas que são boas para o corpo. Não é só uma questão de sobrevivência. Os cozinheiros dos meus sonhos não se parecem com especialistas em dietética.

Interessa-me mais o prazer que aparece no rosto curioso e sorridente de alguém que tira a tampa da panela, para ver o que está lá dentro. Minhas cozinhas, em minhas fantasias, nada têm a ver com estas de hoje, modernas, madeiras sem a memória dos cortes passados e das coisas que se derramaram, tudo movido a botão, forno de microondas, adeus aos jogos eróticos preliminares de espiar, cheirar, beliscar, provar, perfurar... Tudo rápido, tudo prático, tudo funcional. Imaginei que quem assim trata a cozinha, no amor deve ser semelhante aos galos e galinhas, quanto mais depressa melhor, há coisas mais importantes a se fazer. Como aquele vendedor de pílulas contra a sede, de *O pequeno príncipe*. Ir até o filtro é uma perda de tempo. Com a pílula elimina-se a perda inútil. "E que é que eu faço com o tempo que eu perco?" – perguntou o Principezinho.

"... Você faz o que quiser", respondeu o vendedor. "Que bom! Então, é isto o que vou fazer, ir bem devagarinho, mãos nos bolsos, até a fonte, beber água..."

Quero voltar à cozinha lenta, erótica, lugar onde a química está mais próxima da vida e do prazer, cozinha velha, quem sabe com alguns picumãs pendurados no teto, testemunhos de que até mesmo as aranhas se sentem bem ali.

Nada melhor que o contraste. A sala de visitas, por exemplo. Lá no interior de Minas, faz tempo. Retrato silencioso oval do avô, na parede; samambaia no cachepô de madeira envernizada; porta-bibelôs; as cadeiras, encostos verticais, 90 graus, para que ninguém se acomodasse; capas brancas engomadas para que nenhuma cabeça brilhantinosa se encostasse; os donos dizendo em silêncio "está mesmo na hora", enquanto a boca mente dizendo "ainda é cedo", na hora da partida, junto com as recomendações à tia Sinhá (porque toda família tinha de ter uma tia Sinhá). Aí a porta se fechava, e a vida recomeçava, na cozinha...

A porta da rua ficava aberta. Era só ir entrando. Se não encontrasse ninguém não tinha importância, porque em cima do fogão estava a cafeteira de folha, sempre quente, para quem quisesse. Tomava-se o café e ia-se embora, havendo recebido o reconforto daquela cozinha vazia e acolhedora. Eu diria que a cozinha é o útero da casa: lugar onde a vida cresce e o prazer acontece, quente... Tudo provoca o corpo e sentidos adormecidos acordam. São os cheiros de fumaça, da gordura queimada, do pão de queijo que cresce no forno, dos temperos que transubstanciam os gostos, profundos dentro do nariz e do cérebro, até o lugar onde mora a alma. Os gostos sem fim, nunca iguais, presentes na ponta da colher para a prova, enquanto o ouvido se deixa embalar pelo ruído crespo da fritura e os olhos aprendem a escultura dos gostos e dos odores nas cores que sugerem o prazer...

Cozinha: ali se aprende a vida. É como uma escola em que o corpo, obrigado a comer para sobreviver, acaba por descobrir que o prazer vem de contrabando. A pura utilidade alimentar, coisa boa para a saúde, pela magia da culinária, torna-se arte, brinquedo, fruição, alegria. Cozinha, lugar dos risos...

Pensei então se não haveria algo que os professores pudessem aprender com os cozinheiros: que a cozinha fosse a antecâmara da sala de aulas, e que os professores tivessem sido antes, pelo menos nas fantasias e nos desejos, mestres-cucas, especialistas nas pequenas coisas que fazem o corpo sorrir de antecipação.

Isto. Uma Filosofia Culinária da Educação. Imaginei que os professores, acostumados a homens ilustres, sem cheiro de cebola na mão, haveriam de se ofender, pensando que isto não passa de uma gozação minha.

Logo me tranquilizei, ouvindo a sabedoria de Ludwig Feuerbach, a quem até mesmo Marx prestou atenção: "O homem é aquilo que ele come". Abaixo Descartes. Ideias claras e distintas podem ser boas para o pensamento. Também bombas atômicas e as contas do FMI são boas para serem pensadas. Só que não podem ser amadas, não têm gosto nem cheiro, e por isso mesmo a boca não as saboreia e não entram em nossa carne.

Imitar os que preparam as coisas boas e ensinam os sabores...

A primeira lição é que não há palavra que possa ensinar o gosto do feijão ou o cheiro do coentro. É preciso provar, cheirar, só um pouquinho, e ficar ali, atento, para que o corpo escute a fala silenciosa do gosto e do cheiro. Explicar o gosto, enunciar o cheiro; para essas coisas a Ciência de nada vale; é preciso sapiência, ciência saborosa, para se caminhar na cozinha, este lugar de saber-sabor. Cozinheiro: bruxo, sedutor. "Vamos, prove, veja como está bom...". Palavras que não transmitem saber, mas atentam para um sabor. O que importa está para além da palavra. É indizível. Como ele seria tolo se avaliasse seus alunos por meio de testes de múltipla escolha. É assim com a vida inteira, que não pode ser dita, mas apenas sugerida. Lembro-me do mestre Barthes, a quem amo sem ter conhecido, que compreendia que tudo começa nesta relação amorosa, ligeiramente erótica, entre mestre e aprendiz, e que só aí que se pode saborear, como numa refeição eucarística, os pratos que o mestre preparou com a sua própria carne...

A lição dois é que o prazer do gosto e do cheiro não convive com a barriga cheia. O prazer cresce em meio às pequenas abstenções, às provas que só tocam a língua... É aí que o corpo vai se descobrindo como entidade maravilhosamente polimórfica na sua infindável capacidade para sentir prazeres não pensados. Já os estômagos estufados põem fim ao prazer, pedem os digestivos, o sono e a obesidade. Cozinheiros de tropa nada sabem sobre o prazer. A comida se produz às dezenas de quilos. Pouco importa que os corpos sorriam. Comida-combustível. Que os corpos continuem a marchar. Melhor se fossem pílulas. Abolição da cozinha, abolição do prazer: pura utilidade, zero de fruição.

"Estava boa a comida?"

"Ótima. Comi um quilo e duzentos gramas..."

Equação desejável, pela redução do prazer à quantidade de gramas. Não deixa de ser uma filosofia... Como aquela que desemboca nos cursinhos vestibulares e já se anuncia desde a primeira série do ensino fundamental. Não se trata da erotização do corpo. Para a engorda tais sensibilidades são dispensáveis. Artifício na criação de gansos, para a obtenção de fígados maiores: funis goelas abaixo e por ali a comida sem gosto. Afinal, por que razão o prazer de um ganso seria importante? Seus donos sabem o que é melhor para eles... Vi nossos moços assim, funis goela abaixo, e depois vomitando e pensando o seu vômito. A isto se chama ver quantos pontos se fez no vestibular...

Entendem por que eu queria uma filosofia culinária de educação? É que temos tomado os criadores de ganso como modelos...

Monjolos e moinhos

A julgar pelo corpo que temos, somos uma espécie que deveria ter desaparecido da face da terra milhares de anos atrás. Tudo é desajeitado... Começando pela pele, delicadinha, que não aguenta nem sol quente nem frio, não pode ser comparada nem com os invejáveis casacos dos ursos ou com as sólidas carapaças ambulantes das tartarugas e dos tatus. Olhe para suas unhas. Para que servem, além de ajuntar sujeira, crescer e quebrar? Claro que para coçar alguma mordida de carrapato, coisa que tem inegável valor erótico, mas pouco contribui para a sobrevivência. Veja, por contraste, um tatu cavando o seu buraco. Suas unhas são verdadeiras cavadeiras. Ou os gatos e parentes felinos, com unhas-navalha que rasgam o couro mais duro.

As pernas valem também muito pouco. Os prodígios de um João do Pulo não podem ser comparados ao cotidiano das pulgas, dos gafanhotos e dos cangurus. E se a questão é correr, qualquer formiga corre mais a pé do que um carro de Fórmula 1, guardadas as devidas proporções. Isso tudo, além de sermos aleijados, visto não dispormos de coisas utilíssimas como cascos, o que nos aliviaria de despesas com sapatos, além de nos faltarem rabos e chifres.

Se sobrevivemos foi porque descobrimos maneiras de melhorar o corpo. Fomos, aos poucos, construindo próteses para compensar as faltas, como fazemos dentaduras, para substituir os dentes. Sapatos, roupas, chapéus, facas, enxadas, óculos, casas, bicicletas e todas as coisas a que damos o nome de técnica não passam de melhorias e transformações de um corpo desajeitado e fraco, que morreria se entregue às suas modestas possibilidades físicas.

Foi a fraqueza do corpo que acordou a inteligência. O pé que dói por causa de um espinho está pedindo um sapato, o que não aconteceria se dispusesse de um casco. E se corrêssemos como as formigas, é certo que Mr. Henry Ford não teria inventado o automóvel, a não ser que as trombadas entre pedestres se tornassem perigosas por causa da velocidade das pernas, forçando a descoberta de uma geringonça mecânica que nos permitisse andar mais devagar. Nossa força cresceu no lugar da nossa fraqueza. A incompetência biológica convidou à inteligência. E é só por isto que estamos vivos ainda – por causa desse acidente da natureza.

Inteligência: palavra que se presta a confusões. Alguns pensam que é uma coisa que uns têm mais e outros, menos. Coisa parecida com gordura e altura. As pessoas seriam gordas ou magras, altas ou baixas, com muita inteligência ou pouca... Os psicólogos até inventaram coisa semelhante a uma balança ou fita métrica para medi-la: o Q.I.

Ocorre que não é bem assim. Há tipos diferentes de inteligência que não podem ser misturados. Até inventei uma estoriazinha para ilustrar a questão.

Era uma vez um povo que morava numa montanha, onde havia muitas quedas d'água. Moer o grão nos pilões era uma dureza. Um dia, um moço coberto de suor de tanto trabalhar olhou para a queda d'água onde se banhava diariamente. E uma ideia o iluminou como um raio: acabava de inventar o monjolo. Foi aquela revolução. Tudo mudou. E logo surgiu um grupo novo de profissionais, mecânicos especialistas em consertar monjolos. Isso eles faziam melhor que o inventor... Acontece que uma tribo guerreira invadiu a montanha e aquele povo teve de fugir para as planícies à beira-mar. Com muito esforço levaram seus monjolos, indo descobrir que não tinham nenhuma utilidade lá embaixo, já que não havia quedas d'água. Os mecânicos e especialistas perderam o trabalho. E não houve outra saída: voltaram os pilões. O tempo passou. Até que um homem cansado de fazer força viu o vento sacudir as árvores. E, de novo, o milagre aconteceu. Uma iluminação momentânea: nasceu assim o moinho de vento. Nova revolução. Nova classe de mecânicos, especialistas no conserto de moinhos de vento...

Há um tipo de inteligência criadora. Ela inventa o novo e introduz no mundo algo que não existia. Quem inventa não pode ter medo de errar, pois vai se meter em terras desconhecidas, ainda não mapeadas. Há um rompimento com velhas rotinas, o abandono de maneiras de fazer e pensar que a tradição cristaliza. Pense, por exemplo, no milagre do iglu. Como terá acontecido? Compreender que aquele espaço é protegido, que é possível usar o gelo para preservar o calor... Perceber as vantagens estruturais daquela forma de hemisfério. Fazer uso dos materiais disponíveis. Tudo imensamente simples, inteligente, adaptado, eficaz. Nenhuma importação é necessária... A gente encontra o mesmo tipo de inteligência no artista que faz uma obra de arte, no cientista que visualiza na imaginação uma nova teoria científica, no político sonhador que pensa mundos utópicos, considerados impossíveis pelo mecânico. O criador está convencido de que existe algo de fundamentalmente errado no que existe e que é necessário começar tudo de novo...

Já o mecânico pensa diferente. Tudo está bem. Foi apenas um pequeno defeito. Trocar uma peça, fazer um ajustamento... Trilha velhos caminhos e as necessidades práticas cortaram-lhe as asas da imaginação. Fazer como sempre se fez, de acordo com o manual de instruções. Há receitas para tudo. Há respostas certas para tudo.

Claro que esses dois tipos de inteligência se aplicam a situações diferentes. Se o meu monjolo quebrou e a queda d'água está lá, quero mais é que um bom mecânico o conserte. Mas se o monjolo está em perfeito estado e a queda d'água secou, o mecânico não vai servir para nada.

Acontece que a inteligência se parece com sementes. Não basta que a semente seja boa. Ela precisa de terra para germinar, brotar e crescer.

A questão que se coloca é se nosso sistema educacional, regido pela lógica dos vestibulares, tem lugar para a inteligência criativa... Negativo.

Tudo é preparado como se houvesse somente mecânicos neste mundo. Não há lugar para o desenvolvimento da capacidade de perguntar – o fator mais importante no desenvolvimento da inteligência e da ciência. O aluno aprende que existe sempre uma resposta certa entre as alternativas apresentadas, e que precisa apenas dar a solução para determinada questão preparada por outro.

Se o dano se restringisse à ciência, até que seria suportável. Mas quando a imaginação é castrada, só resta à inteligência trilhar o caminho dos mecânicos. Assim, quando a crise política pede que apareçam visionários utópicos, com ideias novas e criativas, só aparecem os mecânicos tentando consertar o que não tem conserto. Não é esta a essência da crise que nos envolve? Eles tentam fazer funcionar monjolos numa planície onde não existem quedas d'água...

Seminário: Espalhando sêmen

Gosto de passear pelo campus da Unicamp, domingos pela manhã, quando o tempo está bonito. Abril, maio, o outono começou, há uma grande tranquilidade em tudo, o céu azul eterno, as cigarras e o seu zinir enchendo o ar, chamando parceiros para o amor, depois de longos anos que passaram ocultas no fundo da terra escura, o vento está discretamente frio, bom para empinar papagaios, os anus atrevidos soltam seus pios, e ao longe se podem ver os lagos, garças brancas nas margens. Nenhum ruído metálico perturba a calma da natureza, e de quando em quando se veem crianças correndo.

Acho que a vida deveria ser assim, um grande jardim, os corpos fazendo amor com os elementos fundamentais da natureza, o sol, a terra, a água, o ar. Porque para isso fomos criados... Não é por acaso que os mitos mais primitivos, sonhos da humanidade, dizem que o Criador fez o universo inteiro só para poder, ao final, plantar um jardim. Não, ele não ficou vagando pelos espaços siderais, o céu das estrelas. Preferiu o jardim e andava por lá, gozando as delícias da brisa da tarde. O jardim é a felicidade de Deus, que deve se parecer um pouco com a gente, pois se não parecesse não teria encontrado o fim de sua criação na erotização dos olhos, dos ouvidos, da boca, do nariz, da pele: as cores das plantas, o barulho dos bichos, do vento, das águas, o gosto das frutas, o cheiro das ervas e da terra molhada pela chuva, o arrepio da pele tocada pelo vento frio.

Quem não entende a linguagem do corpo pensa que a universidade está parada. Que ela acontece só nas salas de aula, nos laboratórios, nas reuniões dos notáveis. Não percebe que é justamente naquela calma tranquila que ela revela o "para quê" da sua existência: a universidade existe só para ajudar os homens a transformarem os desertos em jardins. Nisto se parece com os mosteiros – universidades primeiras – que construíam seus prédios em torno de um espaço central onde havia uma fonte e as plantas podiam crescer: memórias do paraíso perdido, promessa de se reencontrar o caminho perdido, gozo provisório da felicidade, em meio ao deserto, utopia de um futuro com o qual a humanidade inteira sonha...

Houve tempo em que universidade era só o lugar para se (de) formar profissionais. Ali entravam os moços, cheios de sonhos, e saíam unidades de saber competente – engenheiros, dentistas, médicos... E quando os filhos recebiam seus diplomas, os pais se preparavam para morrer, missão cumprida, os filhos sobreviveriam, conseguiriam um emprego. O que estava em jogo era a sobrevivência individual de cada um.

Mas agora sobrevivência individual é coisa muito pequena: a própria sobrevivência do país está em jogo – e até mesmo a sobrevivência da humanidade. É tolice ser um profissional competente se o barco em que se navega está afundando. A competência tem de ser maior, muito maior...

Curioso que, em nossos programas, não existia nenhum lugar para simplesmente passear pelo *campus*. Pois não deveria? No jardim está a única justificativa para o sofrimento por que se tem de passar e a disciplina a que se tem de submeter no processo do saber. É preciso não esquecer o sonho, pois, se ele for esquecido, o sofrimento de aprender se torna sem sentido.

Todo jardim começa com um sonho de amor. Antes que qualquer árvore seja plantada ou qualquer lago seja construído é preciso que as árvores e os lagos tenham nascido dentro da alma. Quem não tem jardins por dentro não planta jardins por fora. E nem passeia por eles...

Andar pelo campus é recuperar a memória, tomar consciência da única coisa que importa. O mais – ensino, pesquisa, invenções, descobertas – só tem sentido como ferramentas para o plantio e o cultivo do jardim. Mas muita gente aprende tudo sobre pás, enxadas, picaretas e esterco sem nunca chegar a sonhar com o jardim, que é a única finalidade de tudo isto. Brecht dizia que a única finalidade da Ciência é aliviar o sofrimento da existência. Acho que podemos ser um pouco mais otimistas: é criar também a possibilidade de prazer. A própria prática da Ciência pode ser também uma experiência de alegria. Uma das árvores do Paraíso era a árvore do conhecimento – cheia de fascínios...

Roland Barthes nos lembra que uma das mais importantes atividades que acontecem na universidade tem o nome de seminário. Seminário vem de sêmen, e o sêmen só sai dos seus esconderijos internos numa explosão de amor e prazer...

Andando pelo jardim é como se estivéssemos andando por um lugar utópico: ali reencontramos os nossos sonhos mais profundos e repetimos: "É assim que queríamos que o mundo todo fosse". Do jardim, lugar do amor, voltamos para a sala de aula e o laboratório, lugares do poder. Saber é poder. Sem o poder do saber o jardim não pode ser plantado.

Mas as caminhadas, domingos pela manhã, deixam-me triste. Os jardins estão quase vazios. E por todos os lugares, os sinais de desamor dos que andam por ali: as garrafas sobre as águas do lago, os copos de plástico pela grama, os maços vazios de cigarro, latas enferrujadas de refrigerantes. Isso não aconteceria se aquele fosse um espaço amado. Aquilo que fazemos ao jardim revela aquilo que faremos ao espaço maior que habitamos, a cidade, o país. Naquela violência que se faz ao jardim (e no dia seguinte ao dia da Universidade Aberta o espetáculo é indescritível!) – lamento dizer – revela-se um pedaço da nossa alma que já se esqueceu de sonhar e nem sabe cuidar da beleza ao seu redor.

Talvez que, ao lado de todas as práticas para se criar o necessário saber competente, seria necessário que nossas escolas se dedicassem à educação erótica do corpo e da alma. Sem amor ao pequeno espaço utópico do jardim não será possível esperar que o conhecimento venha, jamais, a ser usado para a construção do grande jardim. Como dizia D. Miguel de Unamuno, "saber por saber é desumano". Ou Ferenczi, um dos pais da psicanálise: "Tal conhecimento é um produto da morte, manifestação de insensibilidade e, portanto, manifestação de loucura". Não, o problema fundamental de nossa educação não está na falta de recursos. O problema está em que não sabemos mais sonhar. Recursos abundantes nas mãos daqueles que se esqueceram de sonhar só podem produzir a morte. Muito saber sem amor é estar possuído por demônios.

É preciso voltar ao jardim para fazer ressuscitar a educação. O campus está lá, a cada manhã, como um fragmento de utopia. E se é verdade, como sugeriria o matemático Polya, que a solução de todos os problemas tem de começar do fim, eu sugeriria que fosse a partir do jardim que nos puséssemos a pensar no tipo de educação que temos de ter, para produzir coisa tão bela. Espalhar, no ar, num orgasmo de amor, as nossas sementes...

Escola: Fragmento do futuro

Pediram-me para contar os meus desejos...

Que eu dissesse os meus sonhos, para a escola de minha filha...

Os antigos acreditavam que as palavras eram seres encantados, taças mágicas, transbordantes de poder. Os jovens também sabiam disso e pediam:

– A sua bênção, meu pai...

Bênção, bendição, bendizer, bem-dizer, benzer, dizer bem...

A palavra, dita com desejo, não ficaria vazia: era como sêmen, semente que faria brotar, naquele por ela penetrado, o desejo bom por ela invocado.

E o pai respondia:

– Meus desejos são poucos e pobres. Te desejo tanto bem que não basta o meu bem-dizer. Por isto, que Deus te abençoe. Que seja Ele aquele que diga todo o bem com todo o poder...

E então, pelo milagre da fantasia, tudo se tornava possível. As palavras surgiam como cristais de poesia, magia, neurose, utopia, oração, fruição pura de desejo.

É isto que acontece sempre que o desejo fala e diz o seu mundo. Viramos bruxos e feiticeiros e a nossa fala constrói objetos mágicos, expressões simples de amor, nostalgia por coisas belas e boas, onde moram os risos...

É só isto que desejo fazer: saltar sobre os limites que separam o possível existente do utópico desejado, que ainda não nasceu. *Dizer o nome das coisas que não são, para quebrar o feitiço daquelas que são...*

Seus rostos diziam que eram crianças excepcionais. O ano do deficiente as trouxera à nossa contemplação doméstica via televisão. Os educadores presidiam suas atividades, até que se voltavam para o telespectador, com a sua mensagem:

– Esperamos que, ao final de tudo isto, essas crianças possam ser úteis à sociedade.

Nunca ouvi ninguém que dissesse:

– O que a gente deseja mesmo é que as crianças estejam se divertindo e possam vir a ser um pouquinho mais felizes...

Talvez pensassem. Mas não podiam dizer por medo. Perderiam os empregos. Todos sabem que o objetivo da educação é executar a terrível transformação: fazer com que as crianças se esqueçam do desejo de prazer que mora nos seus corpos selvagens, para transformá-las em patos domesticados, que bamboleiam ao ritmo da utilidade social.

Filosofia silenciosa: cada criança é um *meio* para esta coisa grande que é a sociedade.

Mas, e a alegria e o prazer? Aqueles corpos não têm direitos? Não haverá neles uma exigência de felicidade?

Pais de outros filhos fazem perguntas mais sutis:

– Que é que você vai ser quando crescer?

No fundo, a mesma coisa. Agora, você nada é. Será, depois de passar pela escola. Como na estória de Pinóquio.

Suponhamos que a criança, ignorando a armadilha, responda simplesmente:

– Quando crescer quero ter muito tempo para olhar as nuvens.

– Quando crescer desejo poder empinar pipas, como faço agora.

– Quando crescer quero continuar a ser meio criança, porque os adultos me parecem feios e infelizes.

Sorriremos, compreensivos.

– Não é bem isto, filho. Você vai ser médico, engenheiro, dentista?...

De novo, a pergunta sobre a utilidade social.

Não é para isto que se organizam escolas, para que as crianças se esqueçam dos seus próprios corpos e aprendam o mundo que os adultos lhes impõem?

Lembro-me do lamento de Bergson: "Que infância teríamos tido, se nos tivessem permitido viver como desejávamos...".

E lembro-me também da tolice evangélica, que ninguém leva a sério: O Reino de Deus? É necessário que nos tornemos crianças primeiro...

Crianças, aqueles que brincam.

Brinquedo: inutilidade absoluta. Zero de produtividade. Ao seu final, tudo continua como antes: nenhuma mercadoria, nenhum lucro. Por quê, então? Prazer, puro prazer.

Diz o poema hebreu da Criação que Deus, depois de seis dias de trabalho, parou suas mãos e se deteve extasiado, na pura contemplação daquilo que havia sido criado. E dizia:

– Como é belo...

Arte e brinquedo têm isto em comum, não são *meios* para *fins* mais importantes, mas puros horizontes utópicos em que se inspira toda a canseira do trabalho, suspiro da criatura oprimida que desejaria ser transformada em brinquedo e em beleza.

Bem posso sentir interrogações graves que se levantem sobre sobrancelhas políticas que prefeririam que eu falasse sobre coisas mais sérias. Mas que posso fazer? Meu demônio é o espírito de gravidade e acho que a política começa melhor no riso que na azia... Afinal de contas, não é por isso que se realizam todas as revoluções? Que coisas mais importantes haverá que o brinquedo e a beleza? A justiça e a fraternidade, não são elas mesmas nada mais que condições para que os homens se tornem crianças e artistas? Não basta que os pobres tenham pão. É necessário que o pão seja comido com alegria, nos jardins. Não basta que as portas das prisões sejam abertas. É necessário que haja música nas ruas. Política, no final das contas, não será simplesmente isto, a arte da jardinagem transplantada para as coisas sociais? Examino os nossos currículos e os vejo cheios de lições sobre o poder. Leio-os novamente, e encontro-os vazios de lições sobre o amor. E toda sociedade que sabe muito sobre o poder e pouco sobre o amor está destinada a ser possuída por demônios. É preciso reaprender a linguagem do amor, das coisas belas e das coisas boas, para que o corpo se levante, e se disponha a lutar. Porque o corpo não luta pela verdade pura, mas está sempre pronto a viver e a morrer pelas coisas que ele ama. Na sabedoria do corpo a verdade é apenas um instrumento e um brinquedo do desejo...

E é isto que eu desejo, que se reinstale na escola a linguagem do amor, para que as crianças redescubram a alegria de viver que nós mesmos já perdemos.

Cada dia um fim em si mesmo. Ele não está ali por causa do amanhã. Não está ali como elo na linha de montagem que transformará crianças em adultos úteis e produtivos. É isto que exige o capitalismo: o permanente adiamento do prazer, em benefício do capital. Eu me lembro do *Admirável mundo novo* em que todos os prazeres gratuitos foram proibidos, em benefício do progresso, e de *1984,* em que a descoberta do corpo e do seu prazer se constituiu numa experiência de subversão...

Que a aprendizagem seja uma extensão progressiva do corpo, que vai crescendo, inchando, não apenas em seu poder de compreender e de conviver com a natureza, mas em sua capacidade para sentir o prazer, o prazer da contemplação da natureza, o fascínio perante os céus estrelados, a sensibilidade tátil ante as coisas que nos tocam, o prazer da fala, o prazer das estórias e das fantasias, o prazer da comida, da música, do fazer nada, do riso, da piada... Afinal de contas, não é para isto que vivemos, o puro prazer de estarmos vivos?

Acham que tal proposta é irresponsável? Mas eu creio que *só aprendemos aquelas coisas que nos dão prazer*. Fala-se no fracasso absoluto da educação brasileira, os moços não aprendem coisa alguma... O corpo, quando algo indigesto para no estômago, vale-se de uma contração visceral saudável: vomita. A forma que tem a cabeça de preservar a sua saúde, quando o desagradável é despejado lá dentro, não deixa de ser um vômito: o esquecimento. A recusa em aprender é uma demonstração de inteligência. O fracasso da educação é, assim, uma evidência de saúde e um protesto: a comida está deteriorada, não está cheirando bem, o gosto está esquisito...

E creio mais: que é só do prazer que surgem a disciplina e a vontade de aprender. É justamente quando o prazer está ausente que a ameaça se torna necessária.

E eu gostaria, então, que os nossos currículos fossem parecidos com a *Banda*, que faz todo mundo marchar, sem mandar, simplesmente por falar as coisas de amor. Mas onde, em nossos currículos, estão estas coisas de amor? Gostaria que eles se organizassem nas linhas do prazer: que falassem das coisas belas, que ensinassem Física com as estrelas, pipas, os piões e as bolinhas de gude, a Química com a culinária, a Biologia com as hortas e os aquários, Política com o jogo de xadrez; que houvesse a história cômica dos heróis, as crônicas dos erros dos cientistas, e que o prazer e suas técnicas fossem objeto de muita meditação e experimentação... Enquanto a sociedade feliz não chega, que haja pelo menos fragmentos de futuro em que a alegria é servida como sacramento, para que as crianças aprendam que o mundo pode ser diferente. Que a escola, ela mesma, seja um fragmento de futuro...

Sobretudo, que das nossas escolas se retire a sombra sinistra dos vestibulares. Digo-lhes que pouco me importo com tais exames, como artifícios para escolher os poucos que entrarão e os muitos que ficarão de fora. Preocupa-me, antes, o terror que eles lançam sobre as crianças, antes que elas mesmas deles tenham conhecimento. Elas não sabem, mas os pais já procuram os colégios que apertam mais, é preciso preparar para o vestibular e as crianças perdem a alegria de viver, a alegria de aprender, a alegria de estudar. Porque a alegria do estudo está na pura gratuidade, estudar como quem brinca, estudar como quem ouve música... Mas, uma vez instaurado o terror, já não haverá tempo para a poesia, por amor a ela; nem para a curiosidade histórica, por pura curiosidade; nem para a meditação ociosa, coisa que faz parte do prazer de viver. Nossas melhores inteligências estão sendo arruinadas por esta catástrofe que, sozinha, tem mais influência sobre nosso sistema educacional que todas as nossas leis juntas. Melhor seria que se fizesse um sorteio...

E eu gostaria, por fim, que nas escolas se ensinasse o horror absoluto à violência e às armas de qualquer tipo. Quem sabe algum dia teremos uma *Escola Superior de Paz,* que se encarregará de falar sobre o horror das espadas e a beleza dos arados, a dor das lanças e o prazer das tesouras de podar. Que as crianças aprendessem também sobre a natureza que está sendo destruída pelo lucro, e as lições do dinossauro que foi destruído por causa do seu projeto de crescimento, enquanto as lagartixas sobreviveram... É certo que os mais aptos sobreviverão mas nada sugere que os mais gordos sejam os mais aptos. Que houvesse lugar para que elas soubessem das lágrimas e da fome e que o seu projeto de alegria incluísse todos... E que houvesse compaixão e esperança...

E aqui está, minha filha, o meu bem-dizer, minha bendição, meu melhor desejo: que você seja, com todas as crianças, da alegria sempre uma aprendiz, para citar o Chico, e que a escola seja esse espaço onde se servem às nossas crianças os aperitivos do futuro, em direção ao qual os nossos corpos se inclinam e os nossos sonhos voam...